CB012517

para Abigail

AEM
ACERVO DE ESCRITORES MINEIROS DA UFMG

FALE
FACULDADE DE LETRAS

UFMG
UNIVERSIDADE FEDERAL DE MINAS GERAIS

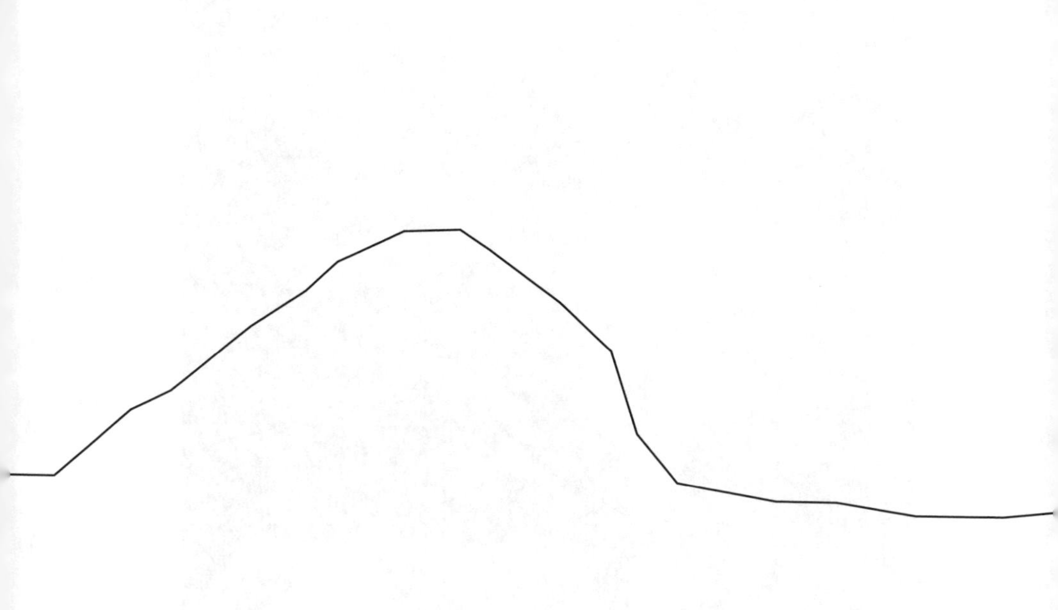

Conteúdo complementar
www.editorapeiropolis.com.br/henriqueta-lisboa

HENRIQUETA LISBOA

OBRA COMPLETA

POESIA

HENRIQUETA LISBOA

OBRA COMPLETA

POESIA

ORGANIZAÇÃO
REINALDO MARQUES
WANDER MELO MIRANDA

São Paulo, 2020

HENRIQUETA LISBOA
OBRA COMPLETA
3 VOLUMES

Editores
Renata Farhat Borges
André de Oliveira Carvalho

Organizadores
Reinaldo Marques
Wander Melo Miranda

Projeto gráfico e diagramação
Silvia Amstalden

Revisão
Mineo Takatama

Dados Internacionais de Catalogação na Publicação (CIP) de acordo com ISBD

L769h Lisboa, Henriqueta

Henriqueta Lisboa – Poesia: Obra completa volume 1 / Henriqueta Lisboa; organizado por Reinaldo Marques, Wander Melo Miranda. – São Paulo: Peirópolis, 2020.

784 p.: il.; 15cm x 22,5cm. – (Henriqueta Lisboa – Obra completa; v.1)

Inclui bibliografia e índice
ISBN: 978-65-86028-73-7

1. Literatura brasileira. 2. Poesia. I. Marques, Reinaldo. II. Miranda, Wander Melo. III. Título. IV. Série.

CDD 869.1
2020-2646 CDU 821.134.3(81)-1

Elaborado por Vagner Rodolfo da Silva – CRB-8/9410

Índice para catálogo sistemático:
1. Literatura brasileira : Poesia 869.1
2. Literatura brasileira : Poesia 821.134.3(81)-1

Editora Peirópolis
Rua Girassol, 310f – São Paulo – SP
T. (55 11) 3816-0699
vendas@editorapeiropolis.com.br

SUMÁRIO DESTE VOLUME

ENTRE O SER E A POESIA

Reinaldo Marques
Wander Melo Miranda

> Pelo reatamento dos laços
> – rompidos entre espinhos e espólios
> com violações de parte a parte
> em pilhagens e terremotos –
> até que se reúnam de vez
> a humanidade e a natureza
> ("Porfia", Henriqueta Lisboa)

A obra de Henriqueta Lisboa (1901-1985) ocupa certamente um lugar especial na literatura brasileira do século 20, embora uma avaliação mais acurada de sua trajetória ainda esteja por fazer, em razão das dificuldades de acesso a seus livros, muitos deles limitados às primeiras edições. A par disso, acrescente-se a personalidade mais recatada e esquiva da escritora, que procurou fazer do silêncio e da sombra sua morada, conforme ela mesma declara em seu ensaio-depoimento "Poesia: minha profissão de fé". Com a presente edição da sua poesia e da sua prosa, espera-se contornar esses obstáculos, facilitando o acesso do público leitor tanto a sua obra poética quanto a seu pensamento teórico-crítico, consolidado em obra ensaística, de modo a se poder configurar melhor seu lugar e sua contribuição para as nossas letras. Nessa direção, haverá de se levar em conta também sua atuação como leitora e tradutora de poesia, marcada por traduções refinadas de Dante, Giuseppe Ungaretti, Cesare Pavese, Gabriela Mistral, Jorge Guillén, entre outros, reunidas primeiramente no volume *Henriqueta Lisboa:* poesia traduzida, publicado em 2001, por ocasião do centenário de seu nascimento, organizado por Reinaldo Marques e Maria Eneida Victor Farias.

Dessa forma, será possível projetar um foco de luz sobre as múltiplas facetas da atividade intelectual de Henriqueta, como poeta, crítica, tradutora e professora. Especialmente se se considerar também sua significativa atividade epistolar, como evidenciam as cartas trocadas com poetas, críticos e intelectuais do Brasil e outros países, guardadas em seu arquivo no Acervo de Escritores Mineiros da Universidade Federal de Minas Gerais, como demonstra a publicação de sua correspondência com Mário de Andrade, organizada por Eneida Maria de Souza. Parece razoável aproximá-la, nesse sentido, da grande tradição moderna dos poetas-críticos, em que se inscrevem Ezra Pound, T. S. Eliot, Octavio Paz, Haroldo de Campos, para citar apenas alguns nomes. Com efeito, ao trabalho de escrever poesia, Henriqueta soube aliar elevado grau de consciência e conhecimento dos problemas teóricos e técnicos envolvidos na operação tanto do fazer poético quanto da tradução, como nos seus ensaios, quase todos voltados para essa questão.

Nascida em 1901 na cidade de Lambari, sul de Minas Gerais, a formação intelectual de Henriqueta é marcada por uma trajetória típica das filhas de famílias mais abastadas do interior, a que se ministra educação rigorosa, ilustrada pela literatura, música e desenho. Realiza os estudos primários na cidade natal, ocasião em que já desponta nela o gosto pela poesia, pela língua, arriscando-se a escrever os primeiros versos, seduzida pelo jogo das rimas e sílabas poéticas, em contato com poemas de Raimundo Correia e Fagundes Varela. Já o curso secundário é feito como aluna interna em colégio de freiras, o Sion, de Campanha, cidade próxima a Lambari. Aí frequenta de modo mais contínuo os clássicos portugueses e franceses, lê os poetas românticos, parnasianos e simbolistas do Brasil, de Portugal e da França, identificando-se especialmente com a poesia de Alphonsus de Guimaraens, no caso brasileiro. Sua origem mineira marcará profundamente sua personalidade, e a Minas, que considera um espaço propício ao "recolhimento dos líricos", numa clara referência ao bardo de Mariana, haverá de dedicar mais tarde um tríptico poético, com os livros *Madrinha lua* (1952), *Montanha viva – Caraça* (1959) e *Belo Horizonte bem querer* (1972).

Na década de 1920, contingências históricas e significativo deslocamento espacial contribuem para o encontro de Henriqueta com seu destino de poeta. Em 1924, em função de seu pai, João de Almeida Lisboa, ter sido eleito deputado federal, a família muda-se para o Rio de Janeiro, capital federal à época. No Rio, ela descobre o teatro de Pirandello, aprecia o balé russo e o canto negro; faz curso de literatura francesa e assiste às conferências da Academia Brasileira de Letras. Desfruta da vida literária ao frequentar salões de poetas e recitais de poesia, inclusive com poemas de sua lavra. O estímulo à vida intelectual lhe chega também de pessoas da vizinhança, como o historiador Basílio de Magalhães, um conselheiro e amigo do pai, leitor dos poemas de Henriqueta, que incentiva nela o gosto pelo folclore e pela literatura hispano-americana. *Motivos de Proteu*, de José Enrique Rodó, deixará viva impressão em sua lembrança das leituras formadoras. Após a estreia com *Fogo-fátuo* (1925), publica seu segundo livro de poemas em 1929, *Enternecimento*, que será distinguido com o prêmio Olavo Bilac de Poesia da Academia Brasileira de Letras, além de colaborar em *O Malho*, *Revista da Semana*, *A Manhã* e *O Jornal*.

É também no Rio que Henriqueta começa a cerzir uma teia de amizades literárias, cultivadas ao longo de sua vida, principalmente mediante a prática epistolar. No solo carioca medra sua amizade com Gabriela Mistral e Cecília Meireles. Conhece a poeta chilena pessoalmente ao ouvir conferência sua na Academia Carioca de Letras em torno de 1940. A convite de Gabriela, Henriqueta a visita em sua casa no Alto da Tijuca, a que se seguem outros encontros ainda no Rio. Posteriormente, em setembro de 1943, é a vez de Gabriela conhecer Minas Gerais e visitar Henriqueta em Belo Horizonte, com apoio do então prefeito Juscelino Kubitschek de Oliveira. Em 1935, ela já havia se mudado para a capital com a família, onde exerceu o cargo de inspetora federal de ensino secundário, mudança motivada pela eleição do pai como membro da Constituinte mineira. Conforme anota Mistral na primeira carta enviada a Henriqueta, em 22 de setembro de 1940, trata-se de visita planejada e pensada menos como gesto de cortesia e mais como expressão de vivo interesse pela poesia da autora de *Flor da morte*. Na capital mineira, a poeta chilena conhece as obras de arte da Pampulha, recém-inaugurada, e convive com o meio intelectual, artístico e pedagógico; no Instituto de Educação, pronuncia duas conferências, uma sobre o Chile e outra sobre *O menino poeta*, de Henriqueta, livro com o qual se identifica profundamente em virtude da temática infantil.

Além de Gabriela Mistral e Cecília Meireles, escritoras como Gilka Machado e Francisca Júlia constituem um ponto de referência marcante para Henriqueta, em vista da constituição notadamente masculina do meio literário no país. Nascida como Cecília em 1901, Henriqueta chega ao Rio quando a futura amiga já se distinguia como professora de escola primária, comprometida com a defesa da educação moderna, e como autora de livros infantis e de poesia. Em Belo Horizonte, Henriqueta se encontra com Cecília algumas vezes, por ocasião de palestras que a autora do *Romanceiro da Inconfidência* ministra sobre literatura infantil, tornando-se ambas amigas e tendo em Gabriela Mistral uma amiga comum. A poesia, o tema da infância e o magistério constituem interesses afins que sedimentam a amizade entre elas e projetam o perfil feminista que passam a ter na luta por maior presença e afirmação das mulheres no espaço literário. Além do mais, dentro da "máquina cultural" latino-americana, Henriqueta, Cecília e Gabriela se inscrevem numa tradição – a das mestras escritoras, poetas – cujo papel ainda precisa ser devidamente estudado.

Ao se mudar para Belo Horizonte, Henriqueta encontra clima propício para se dedicar à vocação de poeta. Nas décadas de 1940 e 1950, experimenta um período fecundo de criação poética, que consolida sua trajetória literária com a publicação de diversas obras. A abertura desse período coincide com o início do diálogo epistolar que manteria com Mário de Andrade a partir de fevereiro de 1940 e se estenderia até a morte do líder modernista em 1945. Após a publicação de *Velário* (1936), seguem-se *Prisioneira da noite* (1941), *O menino poeta* (1943), *A face lívida* (1945) e *Flor da morte* (1949). No mesmo ano de *A face lívida*, 1945, Henriqueta também publica o ensaio *Alphonsus de Guimaraens*, com que abre sua prosa ensaística. E inicia sua carreira no magistério superior, como professora de literatura hispano-americana na Faculdade de Filosofia, Ciências e Letras Santa Maria, embrião da hoje Pontifícia Universidade Católica de Minas Gerais. Mais tarde, em 1951, passa a lecionar história da literatura na Escola de Biblioteconomia de Minas Gerais, depois integrada à Universidade Federal de Minas Gerais.

Nos anos 1950, saem *Madrinha lua* (1952), *Azul profundo* (1956) e *Lírica* (1958), volume que reúne todos os seus primeiros livros de poesia, mas dele excluindo *Fogo-fátuo* e muitos dos poemas de *Enternecimento, Velário, Prisioneira da noite* e *O menino poeta* – expurgos que parecem refletir maior consciência quanto à natureza da poesia, um domínio mais apurado da técnica poética, no que foi auxiliada pelo fecundo diálogo que manteve com Mário de Andrade. Por fim, aparece *Montanha viva – Caraça* (1959). Provavelmente estimulada por sua atuação no ensino superior, sua reflexão teórico-crítica a respeito da poesia se explicita nos ensaios do volume *Convívio poético*, publicado em 1955. Embora dedicada especialmente ao fazer poético, Henriqueta mostra-se sintonizada com questões relativas à presença da mulher na sociedade, procurando abrir novos espaços de atuação feminina. De modo discreto, como é de seu feitio, vai desenhando um perfil de ativista, como evidencia seu ingresso no Instituto Histórico e Geográfico de Minas Gerais em 1958. Pouco tempo depois, no mesmo ano em que publica *Além da imagem*, em 1963, torna-se a primeira mulher eleita para a Academia Mineira de Letras. Um novo volume com ensaios críticos é lançado em 1968, *Vigília poética*, e, no ano seguinte, publica suas traduções do "Purgatório" de Dante, reunidas em *Cantos de Dante*.

Na década de 1970, a poesia de Henriqueta se desdobra em novos trabalhos, revelando uma autora já profundamente amadurecida. São publicados *Belo Horizonte bem querer* (1972), *O alvo humano* (1973), *Reverberações* e *Miradouro e outros poemas*, ambos de 1976, *Celebração dos elementos: água, ar, fogo, terra* (1977). Seu último livro de prosa crítica, *Vivência poética*, aparece em 1979. Por fim, em 1982, Henriqueta publica sua última coletânea de poemas, *Pousada do ser*, que traz ressonâncias heideggerianas na medida em que elabora e celebra a noção da palavra como morada do ser. A partir daí dedica-se ao projeto de publicar sua obra completa. Organiza o primeiro volume, destinado à sua poesia e intitulado *Poesia geral*. Lançado em 1985, no mesmo ano de sua morte, nele está consolidada toda a produção poética de Henriqueta Lisboa. A presente edição de sua poesia e prosa retoma, em certa medida, o projeto original da autora, ao agregar ao volume da poesia a parte da prosa.

Apreendida no conjunto de suas florações ao longo do tempo, a obra poética de Henriqueta Lisboa denuncia um lento e contínuo processo de incorporação da natureza da poesia e de domínio da técnica do verso. Revela uma meticulosa tomada de consciência de que o elemento subjetivo só pode se objetivar por meio da linguagem – verbal, musical ou plástica. Para ela essas linguagens encontram na poesia sua instância essencial e propulsora. Assim, seu percurso formativo evidencia um paulatino aprendizado em que se mesclam ingredientes tanto racionais e deliberados quanto intuitivos e próprios à sensibilidade feminina, no sentido de construção de um projeto poético especial. Nesse sentido, são significativas suas escolhas de leitura, com preferência pelos clássicos da língua portuguesa, por simbolistas franceses, românticos ingleses, místicos espanhóis e poetas modernos, como Mário e Drummond, Ungaretti e Jorge Guillén. A que se somam também Dante, Leopardi, Hölderlin, Rilke, Tagore, entre outros. À leitura desses autores importantes para sua formação soube a poeta agregar o estudo de outros idiomas, o contato com novos poetas, a atenção à expressão vocabular, procedimentos e hábitos valiosos no sentido do domínio da técnica poética.

Significativa para sua formação foi a maneira como incorporou na sua poesia a renovação proposta pela Semana de Arte Moderna de 1922, em especial a consciência do "direito permanente à pesquisa estética", que nela se ativa sem modismos de escola, mas em direção a novas experiências da poesia moderna, especialmente no que concerne à experimentação com a palavra, o que lhe facilitou a transição do entorno simbolista original de sua poesia para uma dicção mais própria à sua época, sem no entanto abrir mão das potencialidades poéticas do símbolo – "Sem ruptura de convicções já arraigadas e sem deixar de ser fiel a mim mesma, senti que o desenvolvimento de novas experiências nos levaria a uma provável evolução. De fato, o Movimento Modernista superou as normas estabelecidas através do espírito de abertura, tão favorável à criatividade. Fui indo devagar e beneficiei-me de algumas sugestões propostas, ainda hoje vigentes", diz Henriqueta.

Transição em que contou com a orientação provocativa e estimulante de Mário de Andrade, que sempre a alertou sobre o viés discursivo, o tom sentimental, pedagógico e moralizante em que sua poesia costumava cair. Com sua inteligência e espírito aberto a todas as manifestações da arte e da poesia, Mário aguçou em Henriqueta uma atenção maior para com a palavra e a experimentação com o verso, merecendo o apreço e a amizade da poeta mineira, que tinha nele um mestre: "Mário de Andrade foi a maior surpresa que me proporcionou o mundo das letras. Ele reunia na fascinante personalidade uma inteligência superior, uma sensibilidade privilegiada, uma cultura abrangente, um coração generoso, um espírito aberto a todas as manifestações da arte, da poesia e dos afetos humanos. Tinha alegria e gravidade, a um tempo". Não sem razão, sentiu e acusou profundamente a perda de seu mais importante interlocutor – e amigo –, dedicando à sua memória os poemas de *A face lívida*.

> Borboleta da morte
> em sorvo
> pousada à flor dos lábios
> calados
> calados.

Esse encontro com a estética modernista e a forma singular como dela se apropriou, sem fazer disso a senha identitária de sua poesia, ajudam a explicar a dificuldade de se rotular a poesia de Henriqueta em termos de estilos e escolas, de reduzi-la a uma influência única e determinante. Com efeito, em seus primeiros trabalhos nota-se a predominância da expressividade romântica aliada a um apego formal, como mostram alguns poemas de *Enternecimento* e *Velário*, marcados pelo tom sentimental no canto do amor e da ânsia de viver, ou pelo misticismo e pela religiosidade expressos através da meia-luz e do recurso aos símbolos. É o que se pode constatar na ênfase conferida ao eu nos seguintes versos do poema "Valor", em *Velário*: "Quero acender minha lâmpada / nas profundezas da terra, / para os céus iluminar". Ou nestes do poema "Hora", em *Enternecimento*: "Quero viver, sentir num turbilhão / dentro do pensamento a certeza deste eu". Versos em que já se percebe a tensão estruturante entre o sentir e o pensar que atravessa a sua poesia.

O apreço ao caráter simbólico, temperado pela musicalidade do ritmo, está presente em *Prisioneira da noite*, mas assinalando um avanço em termos de liberdade do verso e domínio da palavra. Mas o que aí chama a atenção é o recurso a contundentes imagens da natureza – uma constante definidora da sua poética – como forma de expressão de um pensamento que tenta captar um eu instável, resistente ao pensar, como nas imagens contidas nesta estrofe do poema "Prisioneira da noite", que abre o livro homônimo:

> A noite me adormenta com suas flautas esflorando veludos de pêssego,
> a noite me enerva com suas grandes corolas desmaiadas nos caules,
> vejo madressilvas com os pequenos dentes de pérola sorrindo enlaçadas aos
> [troncos fortes,
> e o frio da noite é um desejo de faces aconchegadas,
> e há tepidez nas grotas verde-negras, tão próximas...

Nesse percurso, *O menino poeta* alavanca o tema da infância já prenunciado no livro anterior, destacando-se por um tratamento lúdico e experimental da palavra, sem nenhuma intenção moralizadora ou didática. Num poema como "Caixinha de música", o sentido se aloja todo num jogo primoroso com as palavras e o ritmo, evidenciando uma tomada de consciência da importância do significante, da materialidade da linguagem na fatura poética. Sinaliza a imanência do poema, cujo significado imaterial e transcendente só pode ser acessado por sua forma e organização material, como já demonstra a primeira estrofe:

> Pipa pinga
> pinto pia.
> Chuva clara
> como o dia
> – de cristal.
> Passarinhos
> campainhas
> colherinhas
> de metal.

Com *A face lívida*, entretanto, a trajetória de Henriqueta em direção ao domínio mais apurado da técnica poética se acelera, quer em termos temáticos, ao se confrontar com o enigma da morte – seu tema predileto –, quer pelo uso peculiar do símbolo, liberando-o de marcas do simbolismo escolarizado. No dístico final do poema "Cantarei a noite e o mar" – "Ó Noite, ó Mar, revelação / de Deus Único e Numeroso!" –, a dimensão simbólica de noite e mar, longe de afirmar o caráter unitário e abstrato do símbolo, o associa a um Deus que, paradoxalmente, é único e numeroso, indiciando o uno como multiplicidade. Já se confirma um traço que se tornará marcante na obra poética de Henriqueta: uma abertura para múltiplas manifestações da poesia, bebendo em diferentes fontes e tradições poéticas, sem se fixar numa escola, num estilo ou tradição única.

Nesse percurso, algumas persistências vão delineando certas marcas de seu projeto poético, movido por linhas de forças contraditórias. De um lado, uma força em busca da transcendência, conferindo uma visada metafísica à poesia pela busca de um plano sobrenatural, para além dos fenômenos, alimentada pela leitura de pensadores como Henri Brémond, Jacques Maritain, Jules Monnerot, G. K. Chesterton, Alceu Amoroso Lima, padre Orlando Vilela; de outro, uma força em direção à imanência, ao mundo das forças da natureza, única via de acesso ao mundo suprassenvível, incrementada pelo contato com obras de Paul Valéry, T. S. Eliot, Jean-Paul Sartre, Octavio Paz. A propósito, Ángel Crespo nota a presença do "eterno" e do "efêmero" como tese e antítese que se desdobram em variadas sínteses na poesia de Henriqueta, viabilizadas pelo símbolo, como marca de uma poesia idealista a princípio. Trata-se, para ele, de uma poesia que se esquiva a uma posição monista e unilateral, marcada por dualismos que sustentam as sínteses entre forma e matéria, palavra e silêncio. Uma poesia cujos poemas se configuram como "imagens unitárias, símbolos eficazes e autossuficientes", a exemplo de "Canoa", "Arte" e "Restauradora", este último lembrado pelos versos famosos que abrem o poema: "A morte é limpa. / Cruel mas limpa".

Com esta edição de sua poesia e prosa, talvez seja possível lançar novos olhares críticos sobre a poesia de Henriqueta, a partir de teorias mais contemporâneas, capazes de deslocar certas interpretações já estabelecidas. Sobretudo ao se atentar para a forte presença da natureza na sua poesia, em direção a uma ecologia do sentido, ainda não explorada pela crítica. Mas a tensão paradoxal entre transcendência e imanência se manifesta em obras que vão no sentido de particularidades históricas, como indicam seus livros dedicados a figuras da história de Minas Gerais, bem como em busca de uma essência transcendente da vida, situada no âmbito místico e religioso. Em *Madrinha lua*, figuras e episódios singulares da história e do imaginário mineiros são elevados à esfera do poético, ganhando conotações coletivas, universais, a exemplo de versos do "Romance do Aleijadinho":

– Mais que volutas, rosáceas,
mais do que as flamas e as curvas
flexuosas dos meus delírios,
em segredo amei as virgens
de leves túnicas brancas,
formas essenciais do sonho
que fez de meu corpo uma alma.
E mais do que os rijos músculos
desses guerreiros que atroam
nuvens e ares com trombetas,
amei a graça e a doçura
dos anjos, dos ruflos de asas,
a delicadeza em flor
das crianças que não me amaram.

Da mesma forma, em *Montanha viva – Caraça*, a paisagem montanhosa de Minas ganha vida e se individualiza em figuras como Irmão Lourenço, Irmão Freitas e São Pio Mártir, dissolvidas em meio a uma natureza exuberante de águas, pedras e flores:

E esse favo de mel com zumbidos antigos,
e esse tufo de orquídeas em rapto,
e a água que escorre nos desenhos do vento?
Às mãos poderosas do Artista,

soa em plenitude o canto.
(Nos seus recônditos freme
a selva. E são vivas clareiras)
O canto que jamais se ouvira.
Do bojo seco da matéria
para as madrugadas do éter.

Por fim, *Belo Horizonte bem querer* canta personagens da fundação da nova capital mineira, planejada com régua e esquadro, como expressão primeira da racionalidade republicana, buscando impor ordem à natureza, abrindo espaço entre o mato e a velha capital, Ouro Preto, barroca demais para os novos ideais que se impunham:

O trono cai. Viva a República!
Abaixo o nome desse burgo
chamado de "Curral del Rei"
à falta de melhor batismo.
Já no clube Republicano
vai José Carlos Vaz de Melo
propor e expor alternativa.
Mas o nome predestinado
ocorre a mestre Luis Daniel.
E o que decreta João Pinheiro
(calendário doze de abril
mil oitocentos e noventa)
nos enternece por decreto
de devoção amor orgulho
e tudo mais: Belo Horizonte.

A esses livros que reconfiguram poeticamente uma realidade histórica, conferindo-lhe certa dimensão universal, ligam-se as obras voltadas para uma reflexão refinada sobre o ser e o não-ser da poesia, expressão da etapa mais madura da poeta no que concerne ao domínio da técnica poética e da compreensão da poesia, como mostram *Além da imagem*, *O alvo humano*, *Miradouro*, *Celebração dos elementos* e *Pousada do ser* – "A técnica inclui uma série de especulações, experiências e processos; não é definível nem definitiva, nem mesmo para cada indivíduo; varia de acordo com o tema e com a motivação; arregimenta o vocábulo, o ritmo, a melodia, a harmonia, o timbre, o segmentar do verso e da estrofe; recolhe e fixa a imagem como palpitação de vida; quer o transparente e não deve transparecer; é uma aventura que se renova de cada vez", esclarece Henriqueta. Por isso a morada da poesia é de ordem bem diversa, como indicam as palavras de Donaldo Schüler a respeito de *Pousada do ser*: "pousada como um contorno fluido sem piso, nem teto, nem esquadrias. Quem viu acenos do repouso, sofreu sedução de miragem. Como os horizontes, a bem-aventurança recua, deixando insaciada a sede".

"Insaciada sede" que define, pelo paradoxo, a consciência do fazer artístico que também atravessa os textos ensaísticos de Henriqueta Lisboa, revelando fina e sensível empatia com autores e temas abordados, conseguindo desvendar neles pequenos deslocamentos em direção ao sentido, fragmentos de significado que ora a autora amplia para atingir questões de ordem mais geral, ora faz o caminho inverso em busca do singular, a exemplo da leitura do simbolismo e seus poetas prediletos. No seu primeiro livro de ensaios, sobre Alphonsus de Guimaraens, para chegar à obra do poeta parte do movimento simbolista francês, que se configura, segundo a ensaísta, "pelo desejo de exprimir o inefável, de traduzir a realidade que se esconde atrás dos fenômenos, tendo como fundamento estético o idealismo e a intuição". Por sua vez, justifica seu florescimento na literatura brasileira revelando-o "inquietamente místico, ingenuamente bárbaro, quer dizer indefinido [...] campo propício à floração espiritual da poesia simbólica, aberta a todas as perspectivas".

Assim é que tem de falar antes de Cruz e Sousa – o poeta de *Broquéis* e *Faróis* – cuja poesia se fazia "como que ao influxo de marés bravias", para contrapô-lo ao "modesto, equilibrado, insinuante" Alphonsus, duas faces da mesma moeda do nosso simbolismo. Uma comparação inusitada, um jogo de luz e sombra, aproxima por contraste os dois poetas: no catarinense negro, "obsessão de claridade e alvura [...] lírios astrais, esferas cristalinas, dalmáticas de neve, lácteos rios, clarões que alagam, marfins e pratas diluídas, regiões alpinas, opulência de pérolas e opalas"; no poeta mineiro, "crepes, sombras funerárias de ciprestes, véus de confessandas, luares de desemparo, altares quaresmais enfeitados de roxo". Antes de seguir adiante, não deixa de se referir, entre outros, a Mário Pederneiras, Silveira Neto, Emiliano Perneta, para melhor realçar a posição ímpar ocupada por Alphonsus.

Sem exageros teóricos, como convém ao ensaio, Henriqueta se vale da leveza de seu estilo e da sensibilidade de suas impressões de leitora sutil para melhor compreender vida e obra do ouro--pretano de Mariana. Passa em revista a infância do poeta, entre igrejas, incenso, casarões decaídos, novenas, quermesses, a tristeza do adolescente que perde a amada para a tuberculose, antecipando o tom e o clima de suas futuras poesias, nas quais assinala as três principais influências que sofreu: "a sugestão do ambiente, a impressão causada pela morte da noiva, e as leituras místicas". O estudo de Alphonsus em São Paulo, onde se forma em direito, o casamento, os muitos filhos, dois deles também escritores, permitem tomar conhecimento – ou imaginar – o cotidiano do poeta, que "desgraçadamente tem talento", segundo a opinião do pai. O temperamento esquivo do poeta se confunde com as cidades que o habitam, Mariana e Ouro Preto. Delas provém muito da sua compulsão à ruína, perspectiva para melhor contemplar a passagem do tempo e da história, sua contraditória suspensão no cenário de decadência que tem diante de si, aterradora – e atraente – beleza do que vai desaparecendo para sempre. Além da religiosidade que tudo abarca, como em *Dona mística*, de 1899, para Henriqueta a pérola do cofre de joias do poeta, amor e morte se enlaçam, numa união fúnebre que desespera e consola. Em surdina, terrível na sua santidade nunca alcançada, por ser paradoxal e fortemente desejada, a poesia de Alphonsus vai sendo detalhada, revelando ao leitor atual preciosas curiosidades, como é o caso de *Pauvre lyre*, publicação póstuma de versos escritos em francês pelo poeta. Em toda a leitura de Henriqueta, pressente--se um pouco ou muito de autorreflexão da sua própria poesia, colocadas lado a lado duas poéticas irmãs.

Ao livro sobre o poeta de eleição seguem mais três de ensaios: *Convívio poético* (1955), *Vigília poética* (1968), *Vivência poética* (1979), que desde os títulos sintetizam a preocupação principal da ensaísta. Tratam do fazer poético de maneira geral, explicitando técnicas, conceitos, ritmos, estilos, bem como da leitura de poetas como Fagundes Varela, Álvares de Azevedo, Camilo Pessanha, Carlos Drummond de Andrade, Cecília Meireles, Murilo Mendes, Mário de Andrade, além de Fernando Pessoa, Mário de Sá-Carneiro, Alfonsina Storni, Gabriela Mistral, Jorge Guillén, Vicente Huidobro, Alfonso Reys, Giuseppe Ungaretti. Dos prosadores, o interesse exclusivo é Guimarães Rosa, o que dá bem noção de suas preferências literárias, de como elas, de alguma forma, estão presentes na sua poesia, o que só um minucioso estudo de crítica comparada pode comprovar detalhadamente.

Convívio poético – título que lembra os tratados de *Il convivio*, de Dante, poeta caro a Henriqueta, que lhe traduziu alguns cantos do "Purgatório" – abre com um estudo sobre a "Definição da poesia", em que se busca "delimitar fronteiras entre o impulso que move ao ato poético e a consumação desse ato, no qual se fundem as tendências originárias com as forças volitivas e construtivas". Nesse caso, o resultado poético se equilibra entre o "cunho de nobreza" da inspiração e as "flores da terra", resultando na "coação do eterno dentro do efêmero". Nos outros textos do livro, a mesma preocupação retorna de ângulos diferentes, sempre em torno da "essência da poesia", vivida como "céu prometido através de tormentosa atmosfera" pelo poeta, a quem é necessário, para o desenvolvimento da poesia, a "intuição para a arte" e "certo espírito crítico", passível de desenvolvimento, a exigir da parte do leitor "intuição e tensão conjugadas". A poesia – sua produção e recepção – demanda um olhar sempre renovado e livre, meio "forçoso e intransferível de mostrar um conteúdo, uma interioridade", nas palavras de Pfeiffer, citadas por Henriqueta. Por isso a poeta prefere falar em *convívio*, não de ato ou estado, ao tratar de poesia, que exige predisposição para uma construção mútua de imagens e significados.

Na abordagem da diferença entre poesia e prosa, Henriqueta ressalta, pela via da estilística de Amado Alonso sobretudo, que a distinção mais convincente estaria na sintaxe, mais fluida e singela na poesia, mais complexa, marcada pela subordinação de orações, na prosa. A distinção parece hoje excessivamente pueril, quando há poetas e prosadores que não se esforçam por manter territórios muito bem demarcados – e a obra de Guimarães Rosa é exemplar nesse sentido. Em outro ensaio do mesmo livro, são ressaltados os dois princípios harmônicos e contraditórios que caracterizam a poesia: "gravidade e gratuidade". Diz a poeta ao se referir a esses princípios, na verdade constitutivos da sua própria poesia, que um "poema contaminado de paixão torna-se risível, se lhe falta a graça da levitação com que pudera generalizar-se. Um poema leviano, em que não pesa o lastro substancial da existência, enfada". Caso exemplar de excelência das duas virtudes conjugadas é o poema "Canto esponjoso", de Carlos Drummond de Andrade.

Como parte da argumentação que desenvolve ao longo do livro, Henriqueta discute a questão da beleza, muito diferente em poemas como "A meditação sobre o Tietê", de Mário de Andrade, e "Ismália", de Alphonsus de Guimaraens, o que leva a uma compreensão mais relativizada do juízo estético – "O juízo estético, evidentemente, não é o mesmo para todos os seres e, dentro do mesmo ser, sofre a influência do temperamento, da constituição da sensibilidade, da formação do caráter, está condicionado à cultura e à civilização, varia de acordo com as circunstâncias e o tempo". Por outro lado, discute-se a lógica própria à obra de arte, a partir de breves referências a Benedetto Croce e Paul Valéry, chegando a endossar a proposição de Henri Bremond sobre a existência de dois objetivos da poesia: "a ruína de uma poética racionalista e o esquema de uma poesia fundada nas analogias que pressentia entre o poeta e o místico".

Outras questões interessam ainda Henriqueta no *Convívio*: a relação da poesia com a didática, a técnica, o ritmo, o estilo, o conteúdo, a forma, a infância, um largo espetro de interesses, que inclui ainda a relação entre "Poesia e natureza", título do ensaio que inicia a segunda parte do livro e que é imprescindível para compreender a marca forte dessa relação na literatura brasileira e em especial na obra de Henriqueta. Desde os primórdios, passando pelos poetas árcades, românticos e parnasianos, o descritivismo pareceu quase uma obrigação, mesmo em poetas como Mário de Andrade, para quem pouco contavam as "exterioridades do mundo brasileiro", embora afeito ao "sentimento da natureza no seu instinto, no seu dinamismo de potência criadora". Passa a valer não mais a antiga harmonia, mas a música de timbre diverso, que "retrata, com fidelidade estranha, a natureza do homem em face do universo". Esta é, sem dúvida, a dominante da poesia de Cruz e Sousa, objeto de vários ensaios do *Convívio*, uma espécie de declaração de fé na superação da realidade pela poesia, como expressa, em certo sentido, Álvares de Azevedo, Camilo Pessanha, Fernando Pessoa, Cecília Meireles, Alfonsina Storni, Gabriela Mistral e Jorge Guillén, para quem a poesia, na opinião de Henriqueta, é "alegria de viver, fidelidade ao instante que passa considerado superiormente como dádiva, participação da realidade cotidiana, humilde porém verdadeira, plenitude, vocação de ser, de estar" – pleno convívio então.

Em *Vigília poética* preocupações e interesses se repetem, agora de maneira mais formalizada, como se a ensaísta, professora universitária de literatura, se sentisse impelida a maiores esforços de atualização teórica e crítica, sem abrir mão de suas impressões muito pessoais de leitura. Em "Formação do poeta", primeiro texto do livro, a exposição por itens dá o tom dos demais ensaios, em virtude de uma argumentação mais cerrada, quase didática no modo de formular as questões apresentadas. Destaca no poeta a intuição, a sensibilidade, a imaginação, o domínio do sentimento, o fazer artesanal, a inteligência, a cultura, a concepção de vida, elementos espontâneos uns, adquiridos outros, mas que conjugados lembram a antiga parábola de que "as sementes não medram ao longo das estradas, nem entre urzes ou pedregulhos, mas na boa terra. E 'dão fruto pela paciência'".

Em outro texto, trata da expressão e comunicação da obra de arte, da disposição do artista ao se valer, para tanto, de "todos os meios disponíveis, mesclando gêneros que dantes se distinguiam, inventando processos por analogia, invadindo searas alheias". O lugar à parte ocupado pela poesia faz do poema uma "peça inteiriça, corrente circular ininterrupta de que nenhum elo se solta sem perda do estado lírico", máquina de produzir sentidos e sensações, regulados pelas características do poeta advindas da sua formação, como se apresenta de forma paradigmática em Mário de Andrade. No ensaio que lhe dedica, Henriqueta delineia um perfil comovente do amigo e conselheiro querido, do correspondente fiel, do revolucionário da Semana de 22, que acabou por traçar a "alma da língua no Brasil" na sua multifacetada obra, ao primeiro contato a um só tempo sedutora e confusa para o leitor, em razão dos "termos de gíria, neologismos; palavras estrangeiras abrasileiradas, principalmente italianas; indianismos; africanismos; nomenclatura de fauna e flora meio desconhecidas". Dos versos metrificados e rimados da *Lira paulistana* ao mais desabusado "ritmo dissoluto", para usar de um título de Manuel Bandeira, Mário não deixou de lado a "magnitude do problema da forma", nem a concepção da arte como "coisa social", empenhado que estava em fazer a "autocrítica do próprio lirismo, ou seja, analogicamente, assumir a atitude do "polícia entre rosas"', na expressão do "Noturno de Belo Horizonte".

Ao "Mário de Andrade poeta" Henriqueta dedica outro texto, dessa vez concentrado na complexidade da sua poesia, "tão importante quanto insólita", testemunho do amigo morto, sempre lembrado por ela. Para Mário – "esse Ulisses!", exclama – a arte era uma "atividade vital como ir e vir", presidida por "uma consciência terrivelmente lúcida", o que dá à sua poesia uma dramaticidade rara, "algumas vezes resolvida em sarcasmo". Para esse "[...] Novo Ulisses arrecadador de experiências, colecionador de problemas, desbravador de roteiros", a abertura de caminhos importava mais do que as realizações pessoais, até que esse navegador, cansado, resolve dar-se um pouco de repouso antes do final, com o poema "A meditação sobre o Tietê", o preferido de Henriqueta e grande parte dos estudiosos e leitores de Mário. O poema é para ela "seu testamento poético, terminado a 12 de fevereiro de 1945, poucos dias antes de sua morte repentina". Em carta a Henriqueta, Mário escrevera: "É um poema muito mais calmo [em relação a outros que denominava bárbaros], um reconhecimento dolorido da minha incapacidade pra me ultrapassar e fazer alguma coisa de proveitoso à humanidade".

A excelência dos dois ensaios sobre Mário quase ofusca os outros de *Vigília*, não fossem aqueles dedicados a Guimarães Rosa, de quem Henriqueta foi uma das primeiras e mais entusiastas leitoras. Em "A poesia de *Grande sertão: veredas*" salienta a contribuição inovadora da prosa do escritor, levando-a a classificá-la como "obra poética três vezes: épica, lírica e dramaticamente" – "Cidadela construída à beira do caos" –, tal a magnitude da sua exasperação linguística e temática. Riobaldo é, para a arguta leitora, "compreensivo e compassivo; pertinente na longa tenacidade. Por isso é que o motivo melódico do solilóquio, à feição do barroco beethoveniano, volta sempre enriquecido de novos matizes psicológicos, para retocar-lhe o retrato, sem jamais completá-lo". O ritmo do personagem é abordado *pari passu* com o da narrativa que corporifica, na sua fala regional e cosmopolita, o andamento do narrado. A história de suas peripécias é a de um "homem que aceita o destino e que se chega a modificá-lo é para melhor cumpri-lo", como a de Eneias de Virgílio, compara Henriqueta. E prossegue na comparação: "A originalidade que distingue Virgílio dos velhos moldes reside, antes de tudo, na evolução espiritual de Eneias [...]; a superioridade de Riobaldo sobre a maioria dos personagens do romance brasileiro está na sua evolução em sentido humano, bafejado por isso mesmo pela poesia".

A contraparte do herói é Diadorim, que amplia a comparação efetuada, acrescentando-lhe novos elementos – "Mas Diadorim que acusa, para melhor caracterização da épica, o elemento tradicional maravilhoso, é [...] personagem nitidamente simbólico. A inverossimilhança da situação, a espiritualidade do amor em resguardo no seio da natureza bruta, o mistério só revelado após sua morte, fazem de Diadorim (mulher travestida) a mesma poesia". Conclui, então, para bem marcar a originalidade e a força do *Grande sertão*, que "na sua rusticidade e até mesmo na sua selvageria, o motivo agreste do sertão aí está na candura das coisas primárias, gritante e sussurrante, extasiante e sofrente, sacudido de ventos e eventos, rasgado de água e de sangue". A exuberância do texto rosiano e da sua língua incomparável, que "deforma o real, sempre para sua maior validez estética", encontra em Henriqueta uma leitora participante, que se deixa levar pela leitura e faz dela um momento literário de alta poesia.

No outro texto sobre o escritor, "O motivo infantil na obra de Guimarães Rosa", a autora de *O menino poeta* se entrega a um tema que lhe é caro, por considerá-lo, entre tantos outros de Rosa, de "importância liminar e até fundamental". A presença da infância revela traços marcantes da subjetividade do escritor, suas preferências temáticas, seu jogo com a linguagem, "seu gosto pela vida e pela renovação da vida através da arte". Agenciado pela "vasta erudição" que antecede a fatura literária, os textos rosianos desvelam a "estranheza diante do universo, como se cada dia fosse um primeiro dia", perspectiva que o escritor escolhe e o diferencia dos demais que tratam da infância entre nós, como Machado de Assis e Graciliano Ramos, assinala Henriqueta.

A identificação de Rosa com o mundo infantil é de tal ordem que não é, como em Chesterton, uma prolongação forçosa do adulto, na comparação de Henriqueta, mas identificação "quase inconscientemente com o mundo que o inspira e no qual mergulha por completo, por ser este o seu próprio mundo, o da iniciação, o do perpétuo nascimento das coisas". Pode ser a descoberta da solidão, como no conto "Nenhum, nenhuma", de *Primeiras estórias*, ou a descoberta do mundo na "biografia da infância" que é a estória de Miguilim, em "Campo geral", analisada minuciosamente em busca dos sentimentos mais sutis do "menino poeta", como enfim o personagem é identificado. Nada escapa ao olhar da leitora atenta e amorosa, como se refizesse o caminho de Miguilim até alcançar a visão detalhada da realidade que tem diante de si, antes impossível. Henriqueta então conclui que "Campo geral" "é vivência no passado; 'Nenhum, nenhuma' é revivescência no presente. O primeiro é a plenitude de um capítulo da vida humana; o segundo, a restauração de um antigo estado lírico".

O campo de interesse de *Vigília poética*, no entanto, é amplo e variado, abrangendo leituras sobre Murilo Mendes, o centenário de Vicente de Carvalho, o livro de Mário Matos a respeito de Machado de Assis, uma interessante discussão sobre um assunto meio polêmico, meio hilário, a "mineiridade", aspectos do movimento modernista, um raro estudo sobre a poesia de Israel, outro sobre a de Ungaretti. Em todos eles, a mesma busca de uma nova perspectiva de abordagem da natureza poética da linguagem dos criadores referidos, ou a preocupação didática de expor com clareza temas de ordem mais geral, como no caso do texto sobre o modernismo. O "segredo" de Ungaretti, por exemplo, estaria na "autenticidade e cristalização", categorias que são explicitadas e desenvolvidas com o fim de mostrar como o poeta italiano, escrevendo numa língua tão propícia à oratória, é capaz de obter o máximo de expressão com um mínimo de recursos. Como no poema sobre o filho morto, em que duas palavras resumem toda uma poesia – "*soffio e cristallo*", sopro e cristal – que poderiam também resumir a ensaística e a poesia de Henriqueta.

Vivência poética traz desde o ensaio inaugural, "Poesia: minha profissão de fé", o testamento da poeta-ensaísta. No texto, passa em revista sua obra, detalhando seus temas principais como a morte e a loucura, a "concentração de índole metafísica ou ontológica" nos livros *Velário*, *Azul profundo*, *Além da imagem* e *O alvo humano*; a celebração da natureza, um traço constante da sua poesia, presente num livro de alto nível poético como *Celebração dos elementos – Água Ar Fogo Terra*, sem falar naqueles que têm como tema a terra mineira ou nas inusitadas *Reverberações*, em que palavras da língua portuguesa são escolhidas "a critério", diz a autora, dando "a cada uma delas um dístico, ora de sugestão, ora de elucidação". Conclui com uma declaração mais pessoal: "se mais não realizei ou se não realizei o que de mim se esperava, fiz o que estava ao meu alcance, entregando-me à vocação que me veio do berço, consciente, embora nunca satisfeita da técnica passo a passo adquirida".

Professora de literatura hispano-americana, dedica alguns ensaios aos poetas do continente, como já fizera anteriormente. Em "Vicente Huidobro e o criacionismo", depois de uma esclarecedora panorâmica sobre a poesia chilena desde os primórdios, concentra-se no poeta que, apesar de ter escrito muitos de seus versos em francês e de ter vivido na França por longos anos, "ainda hoje exerce influência não somente na literatura de língua hispânica, mas ainda na literatura francesa e, também, nas letras brasileiras". Chama a atenção para o desejo de Huidobro "por um processo revolucionário que liquidasse de vez a lógica, o princípio da identidade, a categoria da causalidade, as concepções de tempo e espaço", na verdade uma síntese do fazer poético do chileno. Volta-se, então, para a leitura cuidadosa de alguns de seus poemas, a exemplo de *Altazor*, o "mais vibrante e comovido momento de Huidobro", do qual traduz um expressivo trecho. Compara seu barroquismo ao de Góngora, diferenciando-se dele – que operava por "acumulação ou concentração em espirais" – pelo "método dispersivo" que Huidobro emprega: "pensamentos simultâneos, imagens lançadas a distâncias variáveis, de modo a denunciar e causar estado vertiginoso".

Na leitura que faz de Mário de Sá-Carneio, Henriqueta volta à questão do *excesso*, próprio ao poeta cuja poesia se faz pela "luta entre a imaginação e a fantasia, a primeira buscando controlar a segunda". Destaca ainda o processo de "intervenção no mundo ilusório por uma espécie de clarividência ainda que ilógica", um dos traços mais próprios ao poeta luso. Nos livros de prosa de Sá-Carneiro, Henriqueta vê a mesma "frustração introspectiva e inquieta" dos poemas, demonstrando mais uma vez o poder de síntese da ensaísta, que alcança pontos de inflexão decisivos do significado das obras em estudo.

Em outro ensaio – "Guimarães Rosa e o conto" – volta a um de seus escritores preferidos, comparando-o a Machado de Assis, com seu "empenho de penetração psicológica de personagens citadinos", e, no lado oposto, a Bernardo de Guimarães e Afonso Arinos, iniciadores do "processo regionalista" da narrativa curta entre nós. Rosa realizaria a síntese das duas posições, a que acrescenta "uma atitude coloquial de contador de estória", diferenciando-se de seus congêneres, como em "Lá, nas campinas", que a ensaísta analisa minuciosamente. Vê aí, como em *Primeiras estórias* e em *Tutameia*, prevalecer a "tentativa de uma revelação metafísica", que a experimentação linguística encarrega de dar forma. Outra é a perspectiva de leitura de *Sagarana*, em que prevalece "o caráter realista, objetivo, dramático, mais em função narrativa e descritiva do que contemplativa e meditativa", como "A hora e a vez de Augusto Matraga", em que "a redenção do personagem se faz lenta e longamente". Em todo caso, pode-se perceber a linha que Rosa segue, como confessa em carta de 1958 a Vicente Ferreira da Silva, citada por Henriqueta. Diz o escritor: "Estou nesta cintilante linha: Platão – Bergson – Berdiaeff – Cristo", declarando assim suas fontes primordiais.

Em outro texto, aborda a obra de um poeta ainda hoje esquecido, o mineiro José Severiano de Rezende, que publica seu único livro de versos, *Mistérios*, em Lisboa, no ano de 1920, merecedor, segundo Henriqueta, de um lugar de destaque na literatura brasileira. Elenca, então, suas características principais: "insatisfação do que possa oferecer a vida real, fuga para mundos imaginários, substituição do natural pelo sobrenatural, radicalismo de conceitos e sentimentos, visão cósmica do universo, filosofia cristã, situação conflitiva entre o bem e o mal, esperança de salvação individual e coletiva, intensa vida interior refugiada na arte e em Deus, assim como atrações demoníacas", fazendo confluir romantismo, simbolismo e parnasianismo num diferente diapasão.

No centenário de Alphonsus de Guimaraens, volta a um dos heróis do seu panteão, onde o encontra "mais lúcido e determinado como artista". Com seu poder de síntese, Henriqueta destaca "o motivo nuclear" da obra de Alphonsus – a morte da noiva do poeta. Desse acontecimento traumático partem as reverberações de sua poesia, votada ao sofrimento e ao luto, transfigurados mediante uma "artesania" primorosa que possa funcionar como obra de arte, que em cada verso ou poema busca revelar "a inanidade das coisas terrenas", com a "singeleza e finura" que o "tratamento lírico parece acentuar". Está formada a tríade do simbolismo brasileiro: Cruz e Sousa, Alphonsus de Guimaraens, Severiano de Rezende, cuja matéria poética os versos de Alphonsus resumem:

> Ai! mísero de quem procura a origem
> dos seus males em outra selva escura
> que não a sua própria desventura...

Nos demais ensaios do livro, estuda a poesia de Abgar Renault, Emílio Moura, Guilhermino César, outra tríade, dessa vez só de mineiros, em busca da "secreta música" que daí se pressente. De maneira geral, a ensaística de Henriqueta Lisboa se faz acompanhar desse desejo a ser compartilhado, exposto com a *singeleza e finura* que encontra em seus poetas de eleição, coerente com seu próprio fazer poético, todo ele dedicado – poesia e ensaio – às reverberações e aos sentidos do humano. Ou a refazer sem sossego, mas com delicadeza incomum, os laços rompidos entre "a humanidade e a natureza".

NOTA DOS ORGANIZADORES

Henriqueta Lisboa se consagrou como poeta com a publicação de vários livros de poesia até meados do século passado. Seus primeiros livros foram reunidos, inicialmente, no volume *Lírica*, publicado em 1958 pela Editora José Olympio. Nesse volume, foram incluídos *Enternecimento* (1929), *Velário* (1936), *Prisioneira da noite* (1941), *O menino poeta* (1943), *A face lívida* (1945), *Flor da morte* (1949), *Madrinha lua* (1952) e *Azul profundo* (1956). Mas dessa primeira reunião Henriqueta excluiu *Fogo-fátuo*, seu primeiro livro de poesia, publicado em 1925, talvez por considerá-lo muito juvenil. Ao se cotejarem os livros incluídos na *Lírica* com as primeiras edições, observa-se ainda que Henriqueta expurgou diversos poemas de alguns deles, como nos casos de *Enternecimento*, *Velário*, *Prisioneira da noite*, *O menino poeta* e *A face lívida*.

No volume *Obras completas I – Poesia geral*, publicado em 1985 pela Editora Duas Cidades, Henriqueta reuniu toda a sua produção poética ao longo dos anos. Nessa edição, ela manteve exclusões feitas para a edição da *Lírica*, mas incluiu em alguns livros poemas que não se encontravam nem nas primeiras edições nem na *Lírica*, bem como remanejou ou excluiu outros. Assim, no caso de *Flor da morte*, foi incluído nas reuniões da *Lírica* e da *Poesia geral* o poema "Elegia de Wallace", ausente na primeira edição. Já em *Madrinha lua* aparecem três poemas que não constavam da *Lírica*: "Elegia de Mariana", "Romance do Cavaleiro de Prata" e "Discurso para Santos Dumont"; entretanto, comparando-se com outras edições, "Romance do Cavaleiro de Prata" já está incluído na edição de 1980, feita pela Coordenadoria de Cultura de Minas Gerais.

De *Azul profundo*, na edição da *Lírica*, foram excluídos cinco poemas contidos na primeira edição, três dos quais reincorporados na *Poesia geral*: "Serena", "Poder obscuro" e "Natal", enquanto o poema "A menina selvagem" migrou para *O menino poeta* e o poema "Ai! a vida" foi definitivamente excluído. Já do livro *A face lívida*, em comparação com as primeiras edições, foram retirados dois poemas – "Nasceu a paz" e "Fraude".

Os demais livros de poesia, publicados posteriormente à reunião da *Lírica*, foram incorporados integralmente à *Poesia geral*: *Montanha viva – Caraça* (1959), *Além da imagem* (1963), *O alvo humano* (1973), *Reverberações* (1976), *Miradouro e outros poemas* (1976), *Celebração dos elementos* (1977) e *Pousada do ser* (1982). Com exceção do livro *Belo Horizonte bem querer*, de 1972, mas que está inserido neste volume. Quanto a *Miradouro e outros poemas*, como é constituído por duas partes, uma composta pelos poemas de "Miradouro" e outra constituída por poemas selecionados de livros anteriores, na *Poesia geral* foi incluída apenas a seção "Miradouro". Como reunião de poemas selecionados, Henriqueta publicou ainda dois volumes: *Nova Lírica*, em 1971, e *Casa de pedra – Poemas escolhidos*, em 1979, reeditado em 1980.

Conforme se poderá verificar na bibliografia de Henriqueta Lisboa incluída ao final desta edição, *Flor da morte* e *A face lívida* foram republicados em conjunto no volume *Poemas*, em 1951. Escolhido como obra para o vestibular de 2005 da UFMG, *Flor da morte* teve uma reedição em 2004 pela Editora UFMG. Também *Miradouro e outros poemas* conheceu uma segunda edição, em 1977. Foram ainda objeto de outras edições ou reedições *O menino poeta* (1975, 1984, 2008, 2019), *Madrinha lua* (1958, 1980), *Azul profundo* (1956, 1969) e *Montanha viva – Caraça* (1977, edição bilíngue, em latim e português). Em 2001, pela Editora Global e com seleção de Fábio Lucas, saiu uma edição dos *Melhores poemas de Henriqueta Lisboa*.

Nesta edição, optou-se por respeitar integralmente a última publicação do conjunto de sua poesia como expressão da vontade autoral, uma vez que foi organizada e preparada pela poeta ainda em vida para o volume *Obras completas I – Poesia geral*. Exceção feita a *O menino poeta*, que teve uma segunda edição pela Imprensa

Oficial do Estado de Minas Gerais, em 1975, contendo os poemas da primeira edição de 1943, com acréscimo de mais oito novos poemas: "Divertimento", "Os carneirinhos", "Cantiga de Vila-Bela", "Repouso", "Canoa", "Os burrinhos", "O palhaço" e "Liberdade". Preferiu-se aqui seguir a edição de 1975, republicada pelas editoras Mercado Aberto (1984) e Peirópolis (2008), mas incluindo-se dois poemas que aparecem nas versões reduzidas de *O menino poeta* contidas em *Lírica* e *Poesia geral*: "A menina selvagem", deslocado de *Azul profundo*, como já mencionado, e o poema "Viagem", provavelmente um poema novo inserido já na *Lírica* e incluído também na *Poesia geral*.

No trabalho de revisão, procedeu-se à atualização ortográfica, segundo o Acordo de 2009. Os títulos de obras, partes de obras, periódicos, veículos de informação etc. também foram adequados às normas da ABNT. Foram feitas algumas intervenções no texto quando se tratava de flagrante equívoco de revisão. Também foram respeitadas algumas preferências lexicais de Henriqueta Lisboa, como o emprego de "cousa" por "coisa".

Com este volume dedicado exclusivamente ao conjunto da produção poética de Henriqueta Lisboa, espera-se que leitores e pesquisadores possam ter agora um conhecimento mais efetivo e amplo da sua poesia, favorecendo uma avaliação mais adequada de sua obra poética.

LÍRICA (1929-1955)

ENTERNECIMENTO (1929)

SERENIDADE

Serenidade. Encantamento.
A alma é um parque sob o luar.
Passa de leve a onda do vento,
fica a ilusão no seu lugar.

Vem feito flor o pensamento,
como quem vem para sonhar.
Gotas de orvalho. Sentimento.
Névoas tenuíssimas no olhar.

Tombam as horas, lento e lento,
como quem não nos quer deixar.
Êxtase. Vésperas. Advento.

Ouve! O silêncio vai falar!
Mas não falou... Foi-se o momento...
E não me canso de esperar.

À TUA ESPERA

Vou tornar a ver-te em breve!
Sinto a saudade tão leve
como um contacto de flor.
A distância está vencida,
tanto se prende este amor
aos braços da minha vida!

Já nem sei se estás ausente,
tenho-te n'alma presente,
esqueço tudo ao redor!
Parece que te ouço a fala:
quedo, tímida, a escutá-la,
sei tuas frases de cor...

Fico a esperar-te a toda hora,
como a noite espera a aurora,
mergulhada em seu carinho.
Foi-se, branca, a última estrela.
Ah! Se eu pudesse acendê-la
para alumiar-te o caminho!

Bem quisera em minhas preces
teu caminho todo enchê-lo
de rosas a trescalar.
Para que ao chegar dissesses
sem perceber meu desvelo:
– "Foi tão fácil te encontrar!"

HORA ETERNA

Esta noite, nem sei... Tenho a janela aberta
e não quero dormir para sentir a vida.
Nem um vulto, sequer, pela rua deserta.
E ao ver a lua no alto, entre nuvens erguida,
penso que não existe um poder transmissor
que mais fale da morte e mais fale do amor.

Pois o luar, que ilumina amplos jardins em festa,
há pouco andou de rastro, unido a lájeas frias.
Por isso é que tão cedo a alegria se cresta
e há, na pompa nupcial dos grandes dias,
luxo de exéquias e quebrar de taças.

Vida que esplendes porque passas!

Quero viver, sentir num turbilhão
dentro do pensamento a certeza deste eu.
Sofra embora – que importa? – o corpo fatigado,
quero vida, mais vida, alma, renovação,
força para reter tudo que o céu me deu,
capacidade para amar o que foi criado!

Vida que esplendes porque passas,
e que és amada porque findas!

Ser em ti por ti mesma, aspirar-te, sorver-te,
integrar no teu ser todas as cousas lindas,
adivinhar em ti o atropelo das raças,
subir contigo aos píncaros, num grito
da vontade que doma a atração do infinito,
transpor-me, presa do teu hausto,
e um dia, em frente ao sol, de súbito perder-te
e rolar pelo caos, como um pássaro exausto!

Há de chegar o dia em que em todo o universo
não restará de mim nem uma poeira de ossos.
E como hoje, tal qual, haverá noite e lua,
e um vulto a uma janela e um sofrimento e um verso,
e um sabor de imiscuir desejos e destroços,
e este estranho prazer que me exalta e extenua
de surpreender o ruído tímido de uma asa,
de ver a sombra que se alastra pela casa,
de beber o perfume e a umidade de fora,
de ter vertigens quando o sono aos outros basta,
de ser só como um deus dentro da noite vasta,
de ser eterna por uma hora,
de viver, de viver!...

VELÁRIO (1930-1935)

HUMILDADE

Há muito tempo, Vida, prometeste
trazer ao meu caminho uma doida alegria
feita de espírito e de chama,
uma alegria transbordante, assim como esse
alvo clarão que se irradia
da orla festiva das enseadas,
e entre reflexos de ouro se derrama
do cântaro das madrugadas.

Eu, que nasci para um destino manso
de cousas suaves, silenciosas, imprecisas,
e que fico tão bem neste obscuro remanso
onde apenas se infiltra um perfume de brisas,
imagino a tremer: que seria de mim
se essa alegria
esplêndida, algum dia,
houvesse surpreendido a minha inexperiência!...

A vida me iludiu, mas foi sábia na essência.

Minha alegria deveria ser assim:
pequenina doçura delicada,
gota de orvalho em pétala de flor,
sempre serena lâmpada velada
que me diluísse as brumas do interior.

Sempre serena lâmpada velada,
símbolo do meu sonho predileto...
Se amanhã tu penderes do meu teto
aureolando minha última ilusão,
– para que eu viva em teu amor e em tua paz,
deixa um rastro de sombra pelo chão...
É nesta sombra que hei de me esconder
quando sentir a falta que me faz
a outra alegria que não pude ter!

IDÍLIO

Senhor, perdoa que eu não te procure
nos teus dias de abundância e de púrpura.
Perdoa que eu não esteja presente
aos teus rituais de luz e incenso.
Perdoa que não me associe à turba
quando és aclamado nas praças públicas.
E que nunca tenha sido
porta-estandarte das tuas insígnias.

Não é que me envergonhe de Ti, Senhor...
Foste tu mesmo que me deste esse pudor
pelas cousas que se oferecem à claridade.
Não sei cantar em altas vozes.
Não sei expandir-me em gestos largos e notórios.
Não sei utilizar-me das cores fulgurantes.

Amo em silêncio, como as monjas...
Da penumbra, como os que amam sem esperança...
Com extremas delicadezas,
como se o meu amor estivesse para morrer...

Na tristeza e na obscuridade,
quando os homens se distraírem de Ti
e se forem para a faina ou para o ócio,
deixando os teus templos vazios,
então, Senhor,
minha hora será chegada.

Entrarei devagarinho no teu santuário,
acenderei de mãos trêmulas a tua lâmpada de óleo
e sentar-me-ei no chão, junto ao teu tabernáculo,
imersa em pensamentos inefáveis...
Não rezarei, talvez, Senhor.
Meus lábios não sabem pronunciar em vão
aquelas fórmulas

que o tempo desfigurou na minha imaginação.
Meus lábios ficarão imóveis.
Mas haverá em todo o meu ser
tanto abandono,
tanta adoração nos meus olhos,
tanta afinidade da minha atitude com o teu ambiente,
que sentirás meu coração bater
dentro de tuas mãos.
Serei então feliz, feliz docemente,
como uma enamorada tímida,
a quem se adivinha.

VALOR

Eu quero a vida mais cálida,
mais incisiva, mais densa,
para um esforço maior.

Quero a realidade lúcida
de provações e misérias
para então me engrandecer.

Quero o veneno das áspides,
a vertigem dos abismos,
para me purificar.

Quero um tumulto de máscaras
nos labirintos da treva,
para ver claro o meu ser.

Quero as tempestades lívidas
em que me perca no oceano,
para mais longe me achar.

Quero nas plagas anônimas
deixar marca de meus joelhos,
para subir ao Tabor.

Quero acender minha lâmpada
nas profundezas da terra,
para os céus iluminar.

EU TE PERDOO, VIDA...

Eu te perdoo, Vida, pela tua estranha beleza!
– as noites frias que gelaram
a carne tenra dos órfãos pequeninos,
os ventos ríspidos que fustigaram
a choupana dos velhos e dos enfermos,
as tempestades em que naufragaram
os barcos leves dos pescadores, nos mares ermos...

Perdoo a insânia com que distribuis
– esbanjadora às vezes, outras vezes avara –
as tuas moedas e os teus códigos,
a injustiça que acusa a inocência indefesa,
a insônia das mães que têm filhos pródigos,
a angústia irremediável que pesa sobre o destino dos poetas.
E mais ainda te perdoara,
Vida, pela tua misteriosa beleza!

Perdoo-te em nome dos mais infelizes,
daqueles que não tiveram missão a cumprir,
dos que se deixaram arrastar pela correnteza,
dos que só conheceram o mundo obscuro das raízes.
Perdoo-te em nome de todos os homens, em nome
dos que já não existem e dos que estão no porvir,
porque há sempre na vida de cada homem
um dia de loucura em que és perdoada,
Vida, pela tua perturbadora beleza!

Perdoo-te pela poesia de uma noite enluarada
em que houve beijos e juramentos eternos
sob o arvoredo enflorescido.
Perdoo-te pela intenção desses juramentos eternos,
pelo infinito amor desconhecido
– desconhecido por ser mais belo do que tu,

Vida, de enigmática beleza!

Eu te perdoo por ti mesma, Vida,
pela tua beleza ardente e inviolável de esfinge!...

PREDILEÇÃO

A lâmpada votiva
que nunca se acendeu,
é a mais alta de minha nave silenciosa.

Seria tão clara a sua luz, e tão pura e tão viva,
que ela só bastaria para iluminar a igreja.
Mas essa lâmpada votiva
passa a vida apagada sem que ninguém a veja.

Uma vez junto ao pórtico houve alguém que a notou.
Mas achou-a tão alta
que nem sequer as mãos humildes levantou.

A pobre lâmpada votiva
creio que só a mim neste mundo faz falta...

Tenho mil lâmpadas, na catedral silenciosa:
umas em ouro suave de alvorada,
outras, ardentes como um vinho de rosas,
outras, irmãs do azul-celeste, ao crepúsculo...

Mas essa lâmpada sem cor,
inexpressiva, inútil, abandonada,
é a que teria auréola mais translúcida
e óleo mais doce nos ofícios do Senhor...

Às vezes, só porque sonhei com a sua luz,
parece-me que a vida é um repouso, na calma
penumbra de um parque de infinitas alamedas...
E essa penumbra, com perfume de violetas,
é delicada como se fosse a minha alma.

TUAS PALAVRAS, AMOR

Como são belas e misteriosas tuas palavras, Amor!
Eu não as tinha pressentido,
eu era como a terra sonolenta e exausta
sob a inclemência do céu carregado de nuvens,
quando, igual a uma chuva torrencial de verão,
tuas palavras caíram da altura em cheio
e se infiltraram nos meus tecidos.

Ó a minha pletora de alegria!...
As árvores bracejaram recebendo as bátegas entre as ramas,
as corolas bailaram numa ostentação de taças repletas,
os frutos amadurecidos rolaram bêbedos no solo.
E eu vivi a minha hora máxima de lucidez e loucura
sob a chuva torrencial de verão!

Como são belas e misteriosas tuas palavras, Amor!...
Minha alma era um rochedo solitário no meio das ondas,
perdido de todas as cousas do mundo,
quando, ao passar dentro da noite na tua caravela fugaz,
tu me enviaste a mensagem suprema da vida.
A tua saudação foi como um bando de alvoroçadas gaivotas
subindo pelas escarpas do rochedo, contornando-lhe as
[arestas,
aureolando-lhe os cumes.

E a minha alma esmoreceu ao luar dessa noite,
ilha branca da paz, num sonho acordado...

Amor, como são belas e misteriosas as tuas palavras!...

CRIANÇAS NO JARDIM

Ao sol que a chuva de ouro espalha
pela terra fragrante, em doidos
galeios de luz e de cor,
as crianças brincam no jardim.

E entre papoulas, rosas, dálias,
margaridas e verdes moitas,
parecem seus olhos azuis
bolhas de orvalho matutino.

De vez em quando alguma criança,
cabelo ao vento, lábio fresco,
levanta as mãos num gesto rápido
tentada por uma corola.

Antes porém que a flor alcance
é burlada no seu desejo,
pois já se assustou com a voz áspera
do jardineiro que não dorme.

PRIMAVERA

Depois do inverno que fora rude
e fechara os caminhos com seus passos de neve,
certa manhã em que havia bailado de borboletas,
desabrochou à altura de minha janela
dentre o verde das folhas tenras,
a primeira rosa vermelha
do meu jardim orvalhado de lágrimas.

Essa rosa era tua, Senhor, era tua,
viera ao mundo para dar-te um momento de glória,
ascender a ti nas asas do aroma
e desfolhar-se, após, delicadamente a teus pés,
em grandes gotas de sangue.

Mas o inverno fora rude,
os caminhos tinham estado fechados pela neve
e as borboletas bailavam tão levemente aquela manhã,
que tomei para mim tua rosa vermelha
e escondi minha face entre suas pétalas
e aspirei seu perfume
e me feri por gosto nos seus espinhos
e tão sofregamente a acariciei,
que ela se desfolhou contra o meu coração.

DIFERENÇA

Para os outros encontro frases suaves,
tons em surdina de violino ao luar.
Para ti tenho apenas ritmos graves,
plangências rudes, a increpar
no mesmo entono bárbaro do mar.

Souberam outros que ternura
pode abrigar o coração que é teu.
Tu tens provado o fel, tens visto escura
a estrada por onde andas à procura
daquele amor que desapareceu.

Diante dos outros tudo é flor e graça.
Diante de ti o meu olhar se embaça,
tal como o olhar dos moribundos
ou as águas dos rios, mais profundos
depois que a tempestade passa.

Se para os outros, sempre hei de ser boa,
e nunca para o que escolhi,
antes amasse qualquer um – perdoa! –
e tivesse a alma clara para ti.

TRÊS AMORES

Amor primeiro. Amor? Sonho, reflexo, imagem...
Gôndola de ouro à flor de um verde lago
engastado no coração da primavera.
Névoa do alvorecer, perspectiva de viagem
para um lindo país todo azul, todo vago,
onde a felicidade nos espera...

Segundo amor. Talvez o único amor na vida.
Frêmito estranho de harpa em concertos soturnos.
Onde a terra do sol? Tudo são labirintos.
A alma é uma rocha solitária, erguida
em meio às ondas tempestuosas e os noturnos
ventos que uivam no caos como lobos famintos.

Terceiro amor. A paz, a ternura, o impreciso
desprendimento. A escolha mais que suave...
Parques de outono trescalando ao luar.
A lágrima do céu entristece o sorriso.
Carícia leve como voo de ave,
pobre ventura ideal de saber renunciar.

FIM

Baixou a treva sobre o sonho.
Foi como um pássaro agourento
junto à janela de um enfermo.
Alguma cousa de medonho
que se passou nesse momento
eternizou-se no meu ermo.

Tudo acabado. Tudo morto.
É a lua, a ansiar pelo degredo,
mortalha mórbida que espia.
Pavor do nada. Desconforto.
Dança macabra do arvoredo
nos estertores da agonia.

A alma se alonga para o fim
já sem desejos e sem ânsia
como um fantasma em noite aziaga.
E sem poder voltar a mim
fica perdida na distância
como uma sombra que se apaga...

AMARGURA

Eu chegarei depois de tudo,
mortas as horas derradeiras,
quando alvejar na treva o mudo
riso de escárnio das caveiras.

Eu chegarei a passo lento,
exausta da estranha jornada,
neste invicto pressentimento
de que tudo equivale a nada.

Um dia, um dia, chegam todos,
de olhos profundos e expectantes.
E sob a chuva dos apodos
há mais infelizes do que antes.

As luzes todas se apagaram,
voam negras aves em bando.
Tenho pena dos que chegaram
e a estas horas estão chorando...

Eu chegarei por certo um dia...
assim, tão desesperançada,
que mais acertado seria
ficar em meio à caminhada.

TEMPESTADE

Dentro da noite violenta e negra,
cheia de gritos abafados,
há um navio – esqueleto branco ressurgido do ossário.

Ondas coleantes andam-lhe em torno,
lambem-lhe o casco, uivam lascivas,
escabujando como lobos
nos arredores de um cemitério.

As nuvens estão carregadas de chumbo
como os crepes do templo nos dias da Paixão.

Em vão
os mastros erguem os braços desnudos ao céu
no desespero de todas as potências
para fugir à voragem dos elementos,
para sobreviver à própria miséria.

Numa heroicidade última,
lá no alto,
uma bandeira tremula – um farrapo de véu –
se une raivosamente ao mastro
que é sua tábua de salvação.

De súbito,
no íntimo d'alma um turbilhão
maior que o caos do céu e o mar!
Oh! mas a insinuação alucinante!...
Dir-se-ia que a felicidade
está no relâmpago verde
que vai arrebatar aquela bandeira
às entranhas da tempestade!

ADOLESCÊNCIA

Ó alegria de viver
quando a alma se distende na paisagem,
sob o cristal da chuva ao sol diluída!
Quando no verde mar do nosso ser
são como as ondas os sentidos, dançam, ágeis,
pelo simples prazer delicioso da vida!

Ó alegria de viver
quando no sonho virginal dos campos
passa uma leve aragem de desejo!
Quando de olhos fechados, na embriaguez
dos perfumes, dos vinhos, e dos cânticos,
a vida se nos oferece, como um beijo!

Ó alegria de viver
quando a felicidade é multicor
e fulge no oiro das manhãs, nas rosas, no ar!
Quando os clarins sonoros da fronteira
anunciam a vinda próxima do amor,
quando ainda é tempo de sorrir e de cantar!

DISCRIÇÃO

Enquanto, ao som metálico e isócrono das orquestras,
os outros convivas se exacerbavam,
sôfregos da libação de esquisitos licores
em frascos que eram espirais de fogo,

alguém,
que trazia no canto dos lábios certo ar de desprezo
e se recostara à janela para respirar o ar fresco,
ergueu delicadamente a mão
e colheu, da videira referta,
um bago de uva
umedecido pela orvalhada noturna.

MONOTONIA

Monotonia dos dias longos, dos dias longos,
que se prolongam sem ressonância pelas estâncias
imemoráveis das vidas mornas, sem luz nem cor.

Dias brumosos, ermos, inúteis... Dança de jongos
desengonçados... Pés que se arrastam e que se cansam
pelos terreiros nessa cadência, toda em torpor...

Que largo tédio! Que tédio exausto! Que tédio fundo
como as olheiras daquelas freiras longe do mundo,
todos os dias às mesmas horas, todos os dias
às mesmas horas, cantando o coro das litanias.

Sempre o relógio marcando o encontro dos meus bocejos!
Preguiça antiga das velhas cordas enferrujadas dos realejos.
Tempo de sobra que a gente esbanja na branca inércia dos
[lugarejos.
Junto a esta casa, viciadamente, soam os malhos da ferraria.
Monotonia, monotonia, monotonia...
Estou cansada de monotonia!

POEMA DA SOLIDÃO

Cada dia que passa, cada dia
que me leva um anseio e que me traz
uma fadiga para o coração,
sinto mais o perfume de poesia,
o êxtase lívido, a pureza e a paz
da minha solidão.

Depois das noites carpideiras,
quando um queimor de lágrimas enxutas
punha goivos na cova das olheiras,
ai! quantas vezes me internei nas grutas
para esconder a face!
E tive sempre alguém que me guardasse
a entrada como um cão:
minha bravia solidão.

Nos sonhos claros de felicidade,
quando quis estar só para a esperança
de sorrir e viver,
nem mesmo por piedade
me disse que o sorriso também cansa,
nunca toldou de leve o meu prazer
porque sabia que era tudo em vão,
minha profunda solidão.

Nas horas doentes de mormaço,
quando o jardim já deu todas as flores
e as aranhas do tédio, passo a passo,
enchem de teia os templos interiores,
e se pergunta à vida por que é bela,
tenho o consolo da meditação
ao sentir a alma como um barco à vela
no oceano da solidão.

Quando o vulto da morte, sonolento,
pousar à flor da terra essa bandeira
que ergo às nuvens na mão,
– calma, no orgulho do desprendimento,
minha palavra derradeira
quero dizê-la à solidão.

INTIMIDADE

Quem descerrou os velários brancos da alma
para espairecer a inquietude e cantar a efêmera alegria,
diante de uma felicidade calma,
como diante das grandes amarguras, silencia.

A tristeza ingênua que o crepúsculo nos inspira,
a lágrima por um sonho que se sonhou de joelhos,
a ternura que foi um momento de delicada mentira,
tudo isso fulge à superfície dos espelhos.

Mas para a dor, a que feriu como um punhal,
como para a doçura sem o mais leve ressaibo
de fel, existe longe um reino à porta do qual
há uma princesa misteriosa de dedo ao lábio.

Meu desespero dorme numa profunda vala
que ninguém sabe onde fica, senão eu.
Minha consolação é uma migalha
que andou em mesas de banquete,
mas cujo suave sabor nenhum conviva percebeu.

INICIAÇÃO

Que eu fique assim, de olhos transfigurados,
a essa luz de crepúsculos em êxtase.
Que os mais longínquos rumores cheguem tranquilizados
ao coração que está de joelhos.
Que todas as palavras sejam puras e suaves
aos meus ouvidos e nos meus lábios.
Que de óleos essenciais a minha alma se inunde,
e eu receba uma bênção total de angelitude
pelo dia da minha iniciação.

Quisera esquecer os dramas longamente sofridos,
a miséria dos renegados,
o ódio latente dos anônimos,
todo o infinito mal enraizado entre os homens.

Despojar-me das lembranças amargas,
perder o conhecimento das palavras da terra,
e conservar apenas, no âmago da alma,
os últimos conselhos maternos.

Que todo o ambiente tome aspectos novos
à hora inaugural de minha chegada aos templos.
Que não ressoem de músicas dissonantes
as harpas pela primeira vez tangidas.

Desçam-me sobre a fronte as penumbras untuosas
da renúncia às cousas efêmeras.
Uma outra vida, um mundo inédito,
em que eu possa sentir, integrada na fé,
banhada na água lustral do batismo,
a primeira carícia de Deus!

E que o meu ser encarne uma atitude heráldica
dominando as paisagens imprevistas,
igual a um bárbaro que houvesse escalado a montanha
e de repente se petrificasse,
orientando-se para futuras conquistas.

ANGELITUDE

Azul diluído sobre a paisagem, veladamente...
A noite, suave como um bálsamo dormente...
Tênue perfume de magnólia ungindo o ambiente...

Brumas voláteis, leves, translúcidas, sob a lua...
Gôndolas sulcam frágeis espumas brancas de lua...
Penso num cisne que na minha alma, dolente e lânguido,
[se insinua...

Vozes longínquas cantando amores em confidência...
Violões longínquos marcando os ritmos embaladores numa
[cadência
embebedada de dolência...

Quando outra vida? Quando algum sonho? Quando a paisagem
foi diferente para os meus olhos que já não reagem
contra a penumbra mansa e envolvente que se perlustra no
[fim da viagem?

Todos os mundos adormeceram dentro em minha alma...
Pureza mística, angelitude de êxtase em calma...
Talvez ao céu suba a haste esguia de uma palmeira coroada
[em palma.

Se a morte viesse para buscar-me nesses nevoeiros langues
[e baços,
ai! com certeza me deixaria sem pensamentos ir nos seus
[braços
para a cidade dos subterrâneos onde terminam nossos
[cansaços...

Se viesse o Amor, no plaustro brônzeo, como os fulgores do
[meio-dia,

o Amor, que em estos nos outros tempos resplandecia,
abstrata em cismas, num gesto vago, despedi-lo-ia...

Para mais tarde, muito mais tarde, rememorá-lo votivamente...
para chorá-lo perdidamente...
perdidamente...

ORAÇÃO NO DESERTO

Pensei que estivesses aqui, Senhor.
Vim procurar-te longe da miséria e da vaidade dos homens,
longe do atropelo vulgar dos mercados,
longe dos artifícios da cidade,
porque há muito, muito tempo,
meu coração não adivinhava a tua presença,
havia gente demais comigo
e eu não tinha sequer ensejo
de sentir a minha solidão e a minha tristeza,
e mesmo a tua palavra se tornara inaudível
em meio à concorrência das vozes profanas.

Mas eis que me perco num profundo desânimo
porque não é no deserto que escondes a tua morada,
e parece, pelo aspecto infinitamente desolado deste ermo,
que nunca se ouviu aqui uma sentença dos lábios teus.

Andar tanto, Senhor, fazer uma viagem tão longa
e vir ter a terra tão árida,
que nem conhece a suavidade de uma gota d'água,
uma terra tão árida, que o sol no alto é uma trombeta de
[bronze
anunciando sede!

Se ao menos fosses uma palmeira verde
a cuja sombra eu pudesse dormir o sono cansado desta
[jornada inútil!...
Eu sonharia por certo com aqueles tempos de ingênua doçura
em que descias todas as manhãs ao meu peito
numa partícula de pão.
E depois seguiria rumo a outras plagas,
a alma purificada e mansa
como se tivesse vindo novamente da infância.

ORAÇÃO DO MOMENTO FELIZ

Eu sou feliz, Senhor, neste momento,
como nunca imaginei ser feliz na vida.
Cessaram todas as minhas lutas.
Desapareceram aqueles gritos da distância à noite.
E já não sondam as minhas vidraças descidas
os grandes olhos perscrutadores e negros da solidão.

É tudo suave e reconfortante em torno a mim
como se não fosse a realidade,
e eu estivesse sonhando
com o desabrochar das primeiras flores nas manhãs bíblicas
ou com o encontro do Pastor e da ovelha à hora dos
[primeiros suspiros.

O orvalho do azul baixou-me ao seio,
as asas de um anjo roçaram-me a face,
como flocos de paina soltos na brisa!
Tenho vontade de cantar mas minha voz está perdida,
sinto que é inútil o meu sorriso de lábios trêmulos,
quero espalhar alegria e bondade a mãos cheias,
quero acolher os pequeninos órfãos,
quero levar aos pobres envergonhados o meu pão e o meu
[vinho,
quero afagar os cabelos dos que encaneceram sem amor,
mas uma força invisível me retém
para que eu não perca um instante desta felicidade
– ah! que ela talvez seja nos meus braços uma criança
[dormindo,
uma criança que longo tempo acalentei
e acaso desperte com a minha respiração mesma.

Senhor, Senhor,
não te peço o impossível
de prolongar este momento até o meu último dia
porque pertence ao céu a eternidade na graça.

O que te peço
é que não seja eu a culpada
quando se for para sempre este momento
que me vai dar forças para sofrer no futuro.
Que amanhã, quando ele se for para sempre,
possa eu cobrir o rosto com as mãos, sem rubor,
e as minhas lágrimas corram serenas e sem remorso
como as da Mãe que não perde a esperança
de ver voltar algum dia o Filho Pródigo.

PRISIONEIRA DA NOITE (1935-1939)

PRISIONEIRA DA NOITE

Eu sou a prisioneira da noite.
A noite envolveu-me nos seus liames, nos seus musgos,
as estrelas atiraram-me poeira nas pestanas,
os dedos do luar partiram-me os fios do pensamento,
os ventos marinhos fecharam-se ao redor de minha cintura.

Quero os caminhos da madrugada e estou presa,
quero fugir aos braços da noite e estou perdida.
Onde fica a distância? Dizei-me, ó Peregrinos,
onde fica a distância da qual me chegam misteriosos apelos?
Alguém me espera, alguém me esperará para sempre,
porque sou a prisioneira da noite.

A noite me adormenta com suas flautas esflorando veludos
[de pêssego,
a noite me enerva com suas grandes corolas desmaiadas
[nos caules,
vejo madressilvas com os pequenos dentes de pérola sorrindo
[enlaçadas aos troncos fortes,
e o frio da noite é um desejo de faces aconchegadas,
e há tepidez nas grotas verde-negras, tão próximas...

Oh forças para caminhar! Forças para vencer o
[inebriamento da noite,
forças para desprender-me da areia que canta sob meus pés
[como cordas de violino,
forças para pisar a relva macia e tenra com suas gotas de
[sereno,
forças para desvencilhar-me dos afagos numerosos do vento!

Na noite não posso ficar como uma rosa pendida
porque o homem solitário viria tomar-me pela mão
imaginando que sou a que procura amor.

Na noite não ficarei com a túnica esvoaçante e os cabelos
[em desordem
porque uma criança poderia pensar que sou a louca sem
[pouso,
na noite não, porque a velhinha trêmula viria perguntar-me
[se acaso sou a sua filha desaparecida.

Oh! Quem me ensina os caminhos da madrugada?
Por que não se acendem agora, sim, agora, os candelabros
[das igrejas?
Por que não se iluminam as casas onde há noivas felizes?
Por que de tantas estrelas no céu ao menos uma não se
[desprende
para vir pousar no meu ombro como um sinal de esperança?

Tenho um encontro marcado há longo, longo tempo...

Mas não chegarei porque sou a prisioneira da noite.

INFÂNCIA

E volta sempre a infância
com suas íntimas, fundas amarguras.
Oh! por que não esquecer
as amarguras
e somente lembrar o que foi suave
ao nosso coração de seis anos?

A misteriosa infância
ficou naquele quarto em desordem,
nos soluços de nossa mãe
junto ao leito onde arqueja uma criança;

nos sobrecenhos de nosso pai
examinando o termômetro: a febre subiu;
e no beijo de despedida à irmãzinha
à hora mais fria da madrugada.

A infância melancólica
ficou naqueles longos dias iguais,
a olhar o rio no quintal horas inteiras,
a ouvir o gemido dos bambus verde-negros
em luta sempre contra as ventanias!

A infância inquieta
ficou no medo da noite
quando a lamparina vacilava mortiça
e ao derredor tudo crescia escuro, escuro...

A menininha ríspida
nunca disse a ninguém que tinha medo,
porém Deus sabe como seu coração batia no escuro,
Deus sabe como seu coração ficou para sempre diante da vida
– batendo, batendo assombrado!

FASCINAÇÃO DO MAR

Sonhei com o mar. E ele era terrível
como a cólera de Deus.
E também era belo e era grande
como a misericórdia de Deus.

Olhei o mar. E ele era triste
na solidão e profundeza de suas águas.
E também era louco e poeta
no seu mistério e nas suas viagens sem caminho.

Aproximei-me do mar. E ele era pérfido
com suas algas e seus milenares abismos.
E também era repousante
com suas ilhas e seus vergéis nascentes.

Fui para o mar. E ele era bárbaro
no acolhimento rumoroso de suas ondas.
E era também a graça, o espírito,
na revoada de suas espumas e gaivotas.

Amei o mar: ele era um deus humano
com seus demônios e seus anjos em liberdade.

A CIDADE MAIS TRISTE

A cidade mais triste a estas horas
deve ser aquela em que as crianças morreram.
Oh! a cidade em que as crianças morreram
será alguma cidade amaldiçoada por Deus,
alguma nova Sodoma?

Está deserta de inocência, de olhos azuis,
está deserta de alegria, de risos claros e de cânticos,
está deserta de flores, porque as flores também foram
[enterradas.

Imagino vultos embuçados em negro,
soluços arrebentando peitos de ferro,
o desespero mudo dos que não sabem chorar,
o irremediável, infinito vazio dos pequenos leitos vazios,
dos lares vazios,
dos corações vazios!

Dizem que o destino reunira todas as crianças
talvez numa grande roda girando, girando,
e de repente – oh! trágico instante! –
quatrocentas alminhas em voo para o céu,
quatrocentos caixõezinhos brancos, azuis, róseos,
a caminho do cemitério.

Agora a vizinhança da escola pode ficar sossegada,
os recreios acabaram,
não haverá mais grama pisada nos canteiros,
nem frutas roubadas das árvores,
nem algazarra de ensurdecer.
O bairro todo está tranquilo,
morto, sem nenhuma esperança.

Quem encherá a boca de caramelos
gulosamente, à porta das confeitarias?
Quem pasmará de olhos redondos
diante das lojas de brinquedos?
E as avozinhas cegas
que cabeças afagarão nas noites de inverno?...

Oh! a cidade em que as crianças morreram!...

FLOR

Descerrou-se a corola ao vento da noite
em largas pétalas, num desejo de voo.
Delicada e trêmula, como um beijo nos olhos,
uma gota de orvalho buscou-lhe o seio.

Foi o quanto bastou
para que a haste vergasse ao peso do cálice.

EXPECTATIVA

Neste instante em que espero
uma palavra decisiva,
instante em que de pés e mãos
acorrentada estou,
em que a maré montante de meu ser
se comprime no ouvido à escuta,
em que meu coração em carne viva
se expõe aos olhos dos abutres
num deserto de areia,
– o silêncio é um punhal
que por um fio se pendura
sobre meu ombro esquerdo.

E há uma eternidade
que nenhum vento sopra neste deserto!

CONVITE

Eu sou a amiga dos que sofrem.
Aproxima-te do meu coração, Amado.
Amado, conta-me teus segredos.
Onde nasceu a tristeza que nos teus olhos mora,
que causa tem a palidez que unge teus lábios
e esse tremor que tuas mãos comunicam às minhas?

Por que não vens, à hora confidencial do crepúsculo
sobre o banco de pedra esquecido entre as árvores,
junto à fonte chorosa
e os afagos do vento perfumado de flores,
derramar no meu coração
as palavras reveladoras
que me fariam participar da tua amargura,
do teu desespero,
ou simplesmente do teu cansaço de viver?...

Quando desfalecesse a tua voz em sussurro
e o luar surgisse acariciando o céu em penumbra,
talvez, Amado, talvez sorrisses,
vendo aflorar nos meus olhos noturnos
a lua pequenina da lágrima.

NOTURNO

Meu pensamento em febre
é uma lâmpada acesa
a incendiar a noite.

Meus desejos irrequietos,
à hora em que não há socorro,
dançam livres como libélulas
em redor do fogo.

PROBLEMA

Senhor,
a boa-fé que me deste e agradeço,
a ternura que ao meu coração imprimiste
como testemunho de tua abundância,
mais de uma vez têm perturbado os hipócritas.

Por amor à causa
daquele a quem chamas o meu próximo
deverei acaso
despojar-me de tuas dádivas?

VISITA

No alto do morro há um cemitério humilde
onde o Poeta foi enterrado.
O túmulo do Poeta é um canteiro de corolas silvestres.
E na cruz de madeira igual às outras
o seu nome se apaga.

Ao lado do cemitério humilde
há uma igreja em silêncio.
O mato irrompe em torno, quente e aromal.
Pássaros cantando nítidos
tecem fios de prata entre as árvores.
E o céu brilha como um puro cristal.

Na descida do morro se apinham casebres.
A cidade lá embaixo nada percebe.
E as cousas são irremediáveis.

Pois amanhã os homens farão justiça:
e substituirão por mármores álgidos
e alegorias numerosas
isso que faz tão leve a terra
sobre o corpo do Poeta.

SINGULAR

Em vez de amar singelamente
uma casa pequena com jardim,
uma varanda com pássaros,
uma janela em que ao sereno há uma bilha de barro,
um pessegueiro, uma canção e um beijo
– o pessegueiro de seu pomar,
a canção popular
e o beijo que poderia alcançar –
a minha musa ama precisamente
o que não existe neste lugar.

Ó SONHO PERFEITO!

Ó sonho perfeito
dos cinco sentidos!
A Eleita e o Eleito
em dias não vindos...

O mar – sol profundo,
as ondas paradas.
Grande flor o mundo
– flor das madrugadas.

Diluindo-se pelas
praias, pelos campos,
caminho de estrelas,
voz de luar em cânticos.

Pérolas dos lagos
cravejando montes
– reposteiros vagos
de mil horizontes.

Flautas num crescendo,
tepidez de estio.
Perfume no vento
como água de um rio.

Grutas de cristal
orvalhadas de ouro.
Mística nupcial.
Céus no sorvedouro.

Transviadas ovelhas
voltando ao rebanho.
O pastor de joelhos
ao pé da montanha.

Florestas em grita
marcando outras eras.
Pólen de infinitas
novas primaveras.

Ó sonho perfeito
dos cinco sentidos!
A Eleita e o Eleito
em dias perdidos...

O AUSENTE

Ele partiu inesperadamente
sem dizer a ninguém para onde ia
nem quando regressava.
Houve soluços à hora da partida.
Porém ele tranquilo não chorou.
Flores estranhas, veludosas e roxas,
envolveram-no todo num adeus.
Quem tanto amava as flores não sorriu
nem lhes aspirou o perfume.
Não houve entre os amigos seus
talvez um que não viesse vê-lo à despedida.
Mas desta vez ao que era o mais sensível
nenhum carinho comoveu.
Foi-se embora
caladamente
no seu mistério para sempre.
E a vida continuou na mesma ronda
hora mais hora.
Talvez um dia com doçura triste
alguém se lembre olhando longe: E o nosso amigo?
Em resposta dir-lhe-ão simplesmente: Morreu.
Porém no lar que foi o mundo seu
cada dia a saudade avulta e cresce
de tal maneira que parece,
ao abrir de uma porta, que ele surge
de súbito, sereno
como quando habitou entre nós.
Tem-se a impressão de que ele fala e sua voz
conserva a mesma unção de prece
e seu gesto traduz uma bênção perene.

Se acaso perguntar algum estranho
quem nesta casa ocupa o mais alto lugar,

quem à mesa preside, quem governa
atos e corações no redil familiar,
responderão em coro as seis vozes dolentes
– a esposa e as filhas para as quais viveu:
– É ele, o Ausente.

VIDA BREVE

Vida frágil
corpo de haste
alma de flor
se esfolhou...

Vida curta
gesto de onda
barco em fuga
mar levou...

Olhos de orvalho
raio de sol
enxugou...

Voz de brisa
sobre o lago
serenou...

Vida breve
por amor
fruto em nácar
nas entranhas
carregou...

Vida aérea
corpo de alma
nenhum rastro
deixou...

RAIZ AMARGA

Sinto que sou raiz amarga.
Terra gretada é minha sede.
Núcleo de sombras é meu cárcere.

Lá fora – ao sol, à chuva, ao frio –
rastejarei à flor do chão?
Estarei no ar em clorofila?...

Não sei se há a graça do tronco,
pássaros abrigados nas franças,
escaravelhos zumbindo nos brotos.

Não sei se há doçura de pétalas,
nem aconchego de folhagem
dormindo sobre espelhos d'água.

Seja de ouro o pólen ao vento,
de ouro o mel a escorrer do cerne,
de ouro a flama em torno da lenha!

Sonho a paisagem do meu quadro:
vale seivoso entre montanhas
e o céu – acima de minha fronde.

Porém meus gestos precingidos
como os nós cegos das amarras
furtam-me a toda revelação.

Talvez – condenada ao deserto –
eu realize apenas miragem
na imaginação dos homens.

A MAIS SUAVE

Por milagre, a flor mais suave,
não a colheram os ventos.
Ficou na haste toda a noite,
trêmula e alta sob a chuva.
Por milagre, a flor mais suave.

Quando foi de madrugada,
o jardineiro pasmou:
suas corolas jaziam
sobre a terra umedecida;
uma, entretanto, a mais suave,
sustinha-se contra a aragem.

As outras flores por terra,
dálias, papoulas, crisântemos,
– ruivas cabeças – plasmavam
seus espasmos derradeiros:
mártires decapitados,
magdalas em desespero.

Nas fúrias espirituais
ou nas ardências do sangue,
dir-se-ia que estavam vivas.
Entretanto a flor mais suave,
como que ausente do mundo
na sua pureza lívida,
era um pequeno cadáver
que todo o jardim chorava.

RENÚNCIA

Ó palavra cruel:
só de pronunciar-te
meus lábios têm fel.

Martírio de sobra:
vendados, os olhos
ainda mais enxergam.

Disfarce de víbora
sob musgos, típico
disfarce de víbora.

Há cristais em sombra,
superfícies falsas,
fiéis à refração.

Ciprestes se curvam
sobre a terra sáfara,
própria para túmulos.

Fontes em represa
secam-se a si mesmas.

ROMANCE

É Maria Flor de Maio
o nome de uma menina.
Procurai nesta cidade
a mais delicada e linda:
é Maria Flor de Maio.

Sempre de branco vestida,
tem os olhos cor de hortênsia.
Manhã cedo vai à missa,
de dia cuida de crianças
– Maria que é flor-de-maio.

E quando vem vindo a noite
espera que chegue o noivo.
Mas com tal constrangimento,
com tanto rubor à face,
que eu tenho o pressentimento
que Maria Flor de Maio
morre antes de casar-se.

EXPERIÊNCIA

A noite é escura, a noite é escura.
(a vida, a vida está presente).
A noite escura os olhos cega,
os pés resvalam – que miséria!

Não há mais alma, a noite é escura,
a carne é fraca, tomba o corpo.

No escuro, entanto, a mão tateia,
procura a lâmpada, suspende-a,
e a luz se faz, alta e pura,
sobre o corpo que tomba.

Talvez, talvez amanhã,
algum peregrino acompanhe
os passos do que se perdeu.

E a luz acima do pântano
recordará o bom caminho
a esse extraviado futuro.

SEGREDO

Tenho os olhos em cintilas,
brumas, trazei-me velários!
Que esta luz não denuncie
tesouros do fundo d'água.

Minha voz é um claro vidro
com revérberos de sol.
Ventos, levai-me a um país
onde ninguém conheça o amor!

No verde-escuro das moitas,
entre os musgos, terra adentro,
perfume de minhas flores
esconderei para sempre.

POEMA DO AMOR

Penso: agora serei feliz
pois a meu lado está o Amor.
Sob a terra escondo a raiz,
árvore a rebentar em flor.

Feliz como o campo de trigo
que após a chuva se aqueceu.
Enfim o Amor está comigo,
de coração unido ao meu!

Contudo, agonias estranhas,
estranhas amarguras trago-as
caladamente nas entranhas,
como um lago de fundas águas.

Tua presença – arco triunfal –
cobre-me a vida de esplendor.
E eu sei que não há dor nem mal
que atinja a presença do Amor.

Porém se teus olhos profundos
seguem como barcos à vela
o roteiro de novos mundos,
que distância se me revela!

Se despiedoso ou distraído
quebras de nossos dedos o elo,
– pássaro que tomba ferido,
nas minhas mãos morre este anelo.

Se teu carinho promissor
pela manhã se me anuncia,
pressentimento de sol-pôr
enubla o cristal da alegria.

Teu silêncio é trama de espinhos
em que se laceram meus véus.
Tua voz – espuma de vinhos
que te embriagaram noutros céus.

Nesta paixão que nos separa
quanto mais nos une a aparência,
sofro – minha volúpia rara! –
toda a nostalgia da ausência.

Amor – espada de dois gumes,
cada qual mais frio e mais forte:
se a vida está no que resumes,
és o caminho para a morte.

PASTOR

Ninguém viu quando o estranho transpôs o pórtico sagrado,
nem quando ele atravessou a nave,
nem quando no âmbito de sua sombra se fundiram todas as
[cores num roxo-marinho de crepúsculo;
ninguém sentiu seus passos de lã
quando ele se esgueirou pela multidão para subir os
[degraus do santuário;
ninguém percebeu que foi o seu cansado sopro que apagou,
[uma a uma, as luzes do altar.
Houve silêncio em torno como à chegada de um morto,
os fiéis baixaram instintivamente a cabeça,
o vento arrepiou de manso os véus com que se cobriam as
[mulheres.
Foi então que ele começou a falar com pudor,
semelhante ao filho pródigo de volta ao lar.
Tudo evocava um tempo remoto, de perdidas miragens,
tempo em que o visionário marginara declives
como um cego na estrada, sem menino.
A palavra reveladora vinha de uma planície através da neblina,
curta e sem brilho como um segredo à hora extrema.
A tristeza invadiu o ambiente com a fumaça de incontáveis
[turíbulos;
caiu do teto uma poeira tênue de prata sobre as lajes do templo.
O roxo-marinho do crepúsculo ia-se transformando aos
[poucos num tom fosco de pérola de antemanhã.
E ninguém pensava em partir porque não havia mais esperança;
a esperança morrera na voz do estranho,
a voz grave do estranho contaminara todos os corações;
no entanto ninguém chorava porque as suas palavras eram
[puras e belas.
Ele ensinava, sim, que tudo era inútil,
porém o seu verbo tinha o dom de suavizar a verdade mais dura:

era óleo escorrendo do tronco sobre as raízes da terra seca.
E quando a madrugada chegou, brumosa e lívida como a
[vigília da viuvez,
estavam os peregrinos adormecidos, como crianças, aos pés
[do novo pastor.

INSPIRAÇÃO QUE SE PERDEU

Oh! o segredo, o segredo para sempre,
o segredo que o Poeta não sabe traduzir
embora todas as línguas lhe sejam familiares,
e ele tenha caminhado em todas as direções sobre a face da
[terra,
e tenha baixado fundo ao seio das águas virgens;
o segredo indevassável, imutável,
no qual os homens não acreditariam, frouxos como a paina
[que leva o vento
ou contra o qual se insurgiriam, ineptos e rudes como a
[própria matéria;
o segredo que desafia a fatalidade dos ciclos,
que intercepta as leis da ciência,
que se sobrepõe à mentira das realidades;
o segredo coberto de nuvens tal a fumarada que escondeu
[Moisés e o Senhor;
o segredo que veio sangrando da eternidade como o fruto
[do ventre materno,
destinado, antes de todos os tempos, a viver apenas um segundo,
clamando, clamando num brado de gerações pelas águas do
[batismo!

Os olhos do Poeta deveriam estar acesos como duas brasas
[na treva informe,
seus ouvidos deveriam escutar como dois antros inabitados,
as narinas deveriam tatalar como asas frementes,
as mãos vibrar como as do sacerdote quando consagra pela
[vez primeira o corpo de Cristo!

Seus sentidos perceberam nitidamente o milagre,
a consciência irradiou-se de súbito.
Ele, contudo, cobriu o rosto
cheio de espanto e de pavor diante da magna revelação,
acovardou-se para não dar testemunho da verdade,

negou três vezes a si mesmo como Pedro negara ao Mestre,
precipitou-se na queda
semelhante à águia-real que se vê tragada pelo infinito.
Ah! teve a duração de um relâmpago
o encontro da criatura com o Criador.
E nada ficou senão a confusão sem limites e a desolação
[sem limites:
lábios ressequidos num silêncio de séculos,
olhos cegos que não mais poderão contemplar o azul,
passos que ressoam noite e dia entre as paredes de um
[cárcere...
Nenhuma aragem pressagiando o repouso da tarde,
nenhuma lágrima para umedecer o rochedo,
nenhuma esperança de sobre-existência na aridez dos cardos.
Alguém ficou tragicamente vivo, enterrado vivo,
resistirá até o último instante às graças do Santo Espírito,
descerá às entranhas do inferno por desesperação da salvação.

MENSAGEM

Estou convosco, Irmãos, à hora das lágrimas,
à hora em que se apagam as luzes que acendestes de mãos
[trêmulas.
Estive convosco, Irmãos, à hora em que lançastes na terra a
[semente,
à hora em que procurastes fixar na retina a miragem.

Estarei convosco, Irmãos, à hora do triunfo,
quando pairar sobre toda miséria o anjo da consolação
e o universo for consumido pelas labaredas do fogo sagrado.

Irmãos, meus Irmãos, estou sempre convosco,
sou uma de vós, reconhecei-me,
talvez a mais dócil e terna ovelha esquecida no aprisco,
talvez aquela a quem o orgulho desgarrara da estrada real.

Ah! não me credes,
porque não recebo o frio noturno pelos desvãos de vossas
[choupanas,
porque não me embriago com o vosso vinho,
nem de louros vos cingirei a fronte no dia em que fordes
[chamados gloriosos.

Vejo-vos em multidão compacta,
ouço as vossas vozes em coro,
sinto o pulsar das vossas artérias no mesmo ritmo fatigado e
[eterno dos oceanos.
Estais todos unidos num bloco de mármore prodigioso,
e a vossa respiração sobe e desce aos meus ouvidos
semelhante à das vagas sob o silêncio inenarrável dos astros.

Mas não me vedes nem me ouvis:
quando tentei seguir-vos veio da montanha um espesso
[nevoeiro,

sinto-me na solidão como um cego em meio às trevas que
[não buscou,
sou como o náufrago segregado do mundo na ilha
[desconhecida, além.

Recebei, Irmãos, a minha mensagem,
e ainda que não puderdes jamais distinguir o meu vulto
[apagado nos longes,
chegue até vós o calor das minhas palavras e dos meus suspiros
quando a aragem do crepúsculo soprar da grande,
[misteriosa floresta.

Dir-se-ia que nunca nos encontraremos face a face:
oh a emoção de comunicar-me convosco do exílio,
de imaginar que a minha cabeça pudera repousar algum dia
[no vosso peito,
que meu nome perpassa às vezes à flor dos vossos lábios em
[prece!

Irmãos, meus Irmãos, guardai a minha lembrança como a
[de um beijo apenas pressentido:
nada mais sei dizer-vos
senão que a todos vos amo
com esse infinito amor com que o Pai nos amou.

AUSÊNCIA DO ANJO

Após a noite em que as sete sombras ergueram sete
[montanhas
e rasgaram sete abismos
para impedir a consumação da loucura,
após a noite em que os relâmpagos chicotearam o
[corpo da treva
para libertá-la do monstro,
após a noite em que o homem esbofeteou o rosto do Anjo e
[lhe arrebatou a bandeira,
a madrugada veio fria como a eternidade da estrela,
fria como o isolamento dos cemitérios,
fria como o dorso da estátua sob a chuva do inverno.

Então um grito lancinante se fez ouvir em todos os recantos
[da terra,
o nome do Anjo ecoou de quebrada em quebrada,
a face do Anjo se refletiu em todas as consciências como
[num espelho,
cada criatura se lembrou de haver assistido à fuga do Anjo.
A natureza chorou o pranto dos rios e dos mares,
os ventos gemeram, uivaram, soluçaram, abraçados ao
[tronco das árvores,
os campos foram devastados pela seca,
os campos reverdeceram alagados pelo suor da humana
[esperança,
os arados sulcaram o seio da gleba,
cidades se levantaram à margem das florestas,
arregimentaram-se voluntários para a procura do Anjo:
veleiros carregados de púrpura navegando todas as águas,
alpinistas escalando montanhas recobertas de neve,
sábios encanecendo entre a poeira dos pergaminhos e dos
[cálculos.
E como tardava o encontro,
menestréis choraram nos seus alaúdes, de solar em solar, a
[saudade do Anjo,

escultores modelaram o barro em formas que lembrassem o
[corpo do Anjo,
Beethoven cresceu na grandeza dos desesperos por
[pressentir a música do Anjo,
Francisco de Assis sentou-se à beira da estrada para
[espreitar a volta do Anjo.

Não houve sequer um vagabundo que não gritasse vitória
[julgando vê-lo um dia entre as turbas,
nem ser humano que não cometesse desatino em seu nome.
Na alucinação da busca,
máquinas voadoras cortaram o azul como tesouras de prata,
projetores iluminaram a distância a bordo de navios dementes,
arranha-céus subiram pela escada das nuvens,
poderes demoníacos captaram a mensagem do vento,
almas se ofereceram em troca de desaparecidas atlântidas.

E quanto mais corria o tempo e se apagavam no planeta os
[vestígios do Anjo,
mais acre se tornava a parábola da vida.
Os homens deram mesmo de procurá-lo em sentido oposto:
banqueteavam os fartos pela mão dos servos famintos,
perturbavam o repouso da infância com a volúpia das
[assombrações,
mercadejavam a beleza,
turvavam a água de que bebiam para a multiplicação
[do prazer,
destruíam templos que o passado teria levado séculos
[para construir,
trucidavam-se uns aos outros para que o Anjo ressuscitasse do
[sangue sacrificado.
E não viam que as estrelas se haviam eternizado em cruzes
para significar a ausência do Anjo.

O MENINO POETA (1939-1941)

O MENINO POETA

O menino poeta
não sei onde está.
Procuro daqui
procuro de lá.
Tem olhos azuis
ou tem olhos negros?
Parece Jesus
ou índio guerreiro?

Trá-lá-lá-lá-li
trá-lá-lá-lá-lá

Mas onde andará
que ainda não o vi?
Nas águas de Lambari,
nos reinos do Canadá?
Estará no berço
brincando com os anjos,
na escola, travesso,
rabiscando bancos?
O vizinho ali
disse que acolá
existe um menino
com dó dos peixinhos.
Um dia pescou
– pescou por pescar –
um peixinho de âmbar
coberto de sal.
Depois o soltou
outra vez nas ondas.

Ai! que esse menino
será, não será?...

Certo peregrino
(passou por aqui)
conta que um menino
das bandas de lá
furtou uma estrela.
Trá-lá-li-lá-lá.

A estrela num choro
o menino rindo.
Porém de repente
(menino tão lindo!)
subiu pelo morro,
tornou a pregá-la
com três pregos de ouro
nas saias da lua.

Ai! que esse menino
será, não será?...
Procuro daqui
procuro de lá.

O menino poeta
quero ver de perto
quero ver de perto
para me ensinar
as bonitas cousas
do céu e do mar.

CAIXINHA DE MÚSICA

Pipa pinga
pinto pia.
Chuva clara
como o dia
– de cristal.
Passarinhos
campainhas
colherinhas
de metal.

Tamborila
tamborila
uma goteira
na lata.
Está visto
que é só isto,
não preciso
de mais nada.

CORAÇÃOZINHO

Coraçãozinho que bate
tic-tic
Reloginho de Papai
tic-tac
Vamos fazer uma troca?
tic-tic-tic-tac
Relógio fica comigo
tic-tic
dou coração a Papai
tic-tic-tac

CANTIGA DE NENÉM

O neném vai dormir
sob a carícia da lua
neste bercinho de nuvens.

Sob a carícia da lua
que é o doce olhar de mamãe
neste bercinho de nuvens.

Neste bercinho de nuvens
que é o coração de mamãe,
o neném já está dormindo.

TICO-TICO

Tico-tico no farelo
Sinhá tem pena.

Tico-tico troca as letras
Sinhá tem pena.

Tico-tico não aprende
Sinhá tem pena.

Tico-tico analfabeto
Sinhá tem pena.

CAVALINHO DE PAU

Cavalinho de pau
de nome Alazão.
Ferradura de prata
não toca no chão.
Vamos, vamos, cavalinho
combater Galalau
e seu irmão
Galalão.

Há sebo no pau,
mastro de São João.
Vou por estas várzeas
feito furacão.
Povo, povaréu,
prestai atenção:
com este chapéu
quebrado na testa
mais este cavalo
de nome Alazão
(preparai a festa!)
já matei Lampião.

SEGREDO

Andorinha no fio
escutou um segredo.
Foi à torre da igreja,
cochichou com o sino.

E o sino bem alto:
delém-dem
delém-dem
delém-dem
dem-dem!

Toda a cidade
ficou sabendo.

HORTELÃO

– Hortelão, hortelão!
Minha horta lhe emprestei
para plantar hortaliças,
dei as mudas, dei a enxada,
dei ancinho e regador.
Você agora, hortelão,
a troco de uma hortaliça,
quer tomar o meu tostão!
Interesseiro hortelão!

– Plantei couve-flor e alface,
nabo, chicória e tomate,
mangalô mais almeirão.
Todos os dias cedinho
à hora em que o sol levantava
já me encontrava de ancinho
de regador e de enxada
no meio das hortaliças.
Como crescem, como viçam
estas minhas hortaliças!
Veja que lindas estão!

– Hortelão, hortelão!

CORRENTE DE FORMIGUINHAS

Caminho de formiguinhas
fiozinho de caminho.
Caminho de lá vai um,
atrás de uma lá vai outra.
Uma duas angolinhas,
corrente de formiguinhas.

Corrente de formiguinhas,
centenas de pontos pretos,
cabecinhas de alfinete
rezando contas de terço.

Nas costas das formiguinhas
de cinturinhas fininhas
pesam grandes folhas mortas
que oscilam a cada passo.
Nas costas das formiguinhas
que lá vão subindo o morro
igual ao morro da igreja,
folhas mortas são andores
nesta Procissão dos Passos.

PATINHOS NA LAGOA

Chegam de manso, de manso,
finos pescoços esticam,
deslizando, deslizando,
ferem o espaço com o bico,
deslizando
na superfície de vidro.

O espelho da água que ondula
reflete frocos de arminho
(arminho, paina, algodão).
E as nódoas brancas no azul
são delicadas carícias,
recordam jardins de inverno
quando há lã, cristais e neve.

Na lagoa muito fria,
sob o ouro do sol que brilha,
mora um céu:
navegam nuvens, navegam...
Doçura da hora que escoa
vagarosa, deslizando
como um pato na lagoa...

POMAR

Menino – madruga
o pomar não foge!
(Pitangas maduras
dão água na boca.)

Menino descalço
não olha onde pisa.
Trepa pelas árvores
agarrando pêssegos.
(Pêssegos macios
como paina e flor.
Dentadas de gosto!)

Menino, cuidado,
jabuticabeiras
novinhas em folha
não aguentam peso.

Rebrilham cem olhos
agrupados, negros.
E as frutas estalam
– espuma de vidro –
nos lábios de rosa.
Menino guloso!

Menino guloso,
ontem vi um figo
mesmo que um veludo,
redondo, polpudo,
e disse: este é meu!
Meu figo onde está?

– Passarinho comeu,
passarinho comeu...

CONSCIÊNCIA

Hoje completei sete anos.
Mamãe disse que eu já tenho consciência.
Disse que se eu pregar mentira,
não for domingo à missa por preguiça,
ou bater no irmãozinho pequenino,
eu faço pecado.

Fazer pecado é feio.
Não quero fazer pecado, juro.
Mas se eu quiser, eu faço.

JARDIM

– Menina faceira
de laço de fita
não vás tão bonita
sozinha ao jardim.
Se pensar Beija-Flor
que teu laço é flor,
pelos ares levará
um anel dos teus cabelos.

– Mamãe, não tenha cuidado,
eu sei dar laço bem dado.

– Menina trigueira
de faces vermelhas
no jardim sem teu irmão
não fiques, não.
Se Beija-Flor imagina
que teu rosto é flor,
menina, minha menina,
decerto um beijo te dá.

– Quando ele me der um beijo,
nas minhas mãos estará.

TEMPESTADE

– Menino, vem para dentro,
olha a chuva lá na serra,
olha como vem o vento!

– Ah! como a chuva é bonita
e como o vento é valente!

– Não sejas doido, menino,
esse vento te carrega,
essa chuva te derrete!

– Eu não sou feito de açúcar
para derreter na chuva.
Eu tenho força nas pernas
para lutar contra o vento!

E enquanto o vento soprava
e enquanto a chuva caía,
que nem um pinto molhado,
teimoso como ele só:

– Gosto de chuva com vento,
gosto de vento com chuva!

VÁRZEA

Pela várzea
verde-moita
sob as cortinas
da noite,

pulam sapos
de contentes,
grilos mostram
finos dentes.

Chegam todos
serelepes
para a festa
que promete.

Vaga-lumes
– lamparinas –
conduzem os
convidados.

Vento sopra
numa flauta
treme-treme
de bambu.
Pernilongos
tisiquinhos
são violinos
em surdina.

Lá nos altos
Dona Lua
sem sorrir
e sem chorar.

Enquanto isso o
bailareco
das acácias
– saias brancas
de papel –
animado
continua
até a vinda do sol.

COROAÇÃO

Queremos a Maria
flores oferecer

A igreja regurgita
de curiosas cabeças
(A igreja é um grande lírio
que se acendeu na colina
para espantar o frio.)

Queremos a Maria
flores oferecer

Pela nave corre um frêmito:
abram ala para as virgens!
Os lábios da virgenzinha
aquela que vem à frente
trazendo salva e coroa,
os lábios da virgenzinha
parece que estão tremendo:

Nossa Senhora permita
que a coroa fique firme
no alto de sua cabeça.

Nossa Senhora permita
que eu ganhe o maior cartucho
todo de amêndoas graúdas.

Enche-se o templo de incenso.

Nossa Senhora sorrindo
pergunta a gente por que...

OS QUATRO VENTOS

Vento do Norte
vento do Sul
vento do Leste
vento do Oeste

Quatro cavalos
em pelo
quatro cavalos
de longas crinas,
de longas caudas,
narinas sôfregas
bufando no ar.

Quatro cavalos
que ninguém doma,
quatro cavalos
que vêm e vão,
que não descansam,
de asas e patas
varrendo os céus.

Cavalos sem dono,
cavalos sem pátria,
cavalos ciganos
sem lei nem rei.

Quatro cavalos em pelo.

O MENINO DO VELOCÍPEDE

Menininho feio
cabeça raspada.
Creio que nasceu
para ser soldado.

Menininho duro
não sorri, não pisca.
Passa carrancudo
no seu velocípede.

Vem toda manhã
de cara lavada.
Sobe pela rampa,
desce do outro lado
no seu velocípede.

Quando leva um tombo
– que ninguém o ajude! –
com raiva levanta,
resmunga, resmunga,
e com raiva monta
no seu velocípede.

Peleja desde ontem,
peleja, gagueja
(língua não ajuda)
para dizer: velocípede!

Vamos, menininho,
diga com bravura,
rápido: velocípede!

ESTRELINHA DO MAR

Estrelinha do mar
na praia amanhece.
Tem o corpo tostado
de sol e de areia.

Nos seus olhos brincam
distâncias e dunas.
São faróis erguidos
entre névoa e espuma.

Coleciona conchas,
búzios e corais.
Sua casa é uma angra
com tapetes de alga.

Que será que anela?
(já tem gestos de onda)
– um peixe, uma pérola,
uma ilha, uma gôndola?

Estrelinha do mar
dizem que ao nascer
dormiu no regaço
de madrinha Sereia.

O ANJO BOM

Do lado direito
fica o Anjo Bom.
Do lado direito.
Embora do esquerdo
fique o coração.

O Anjo Bom é ingênuo.
Só diz a verdade.
Nós todos sabemos
que a mentira agrada.

Perdidos nos ermos
nunca estamos sós.
Se andamos em erro
ele senta e chora.

Em qualquer perigo
o Anjo nos defende
raivoso, de espada.
Mas quando o ofendemos
parece um vencido
lírio
pálido.

CHARANGA

Na tarde que tomba
com gestos molengas,
ao todo oito negros
vestidos de branco
tocam charamela.

Negros de charão
vestidos de branco.
Tocam charamela
– têm os lábios roxos –
tocam charamela
com bastante força.

Negros charangueiros!
Pra que chamar chuva?

MAMÃEZINHA

Mamãezinha, conta,
conta uma história!

Mamãezinha agora
está no fogão
fazendo quitutes
para o seu neném.

Mamãezinha, conta,
conta uma história!

Mamãezinha agora
está no tanque
lavando as roupas
do seu neném.

Conta, Mamãezinha,
conta uma história!

Mamãezinha agora
está no seu sono
cansado, sem sonhos.

COPO DE LEITE

Copo de leite
na boca
do menino gordo.

O leite esbarra
nos dentes falhos,
gorgoleja
lá dentro.
E tomba em fios
pelo desfiladeiro
invisível.

Cascatas brancas
de leite
descendo aos saltos
por entre as pedras
do barranco vermelho
engrossa rios
viajeiros.

Lua cheia
escorrendo leite
na estrada,
pulando grades,
engolida aos goles
pela garganta enorme
dos sapos.

Copo de leite,
leite cheiroso,
leite espumoso
de boa engorda!

CASTIGO

Menino fez um malfeito
agora está de castigo.
Passarinho nada fez
e sempre esteve cativo.

Menino só meia hora,
passarinho toda a vida.

E enquanto o menino chora
sal de lágrimas a fio,
passarinho na gaiola
modula a sua cantiga.

As lágrimas do menino
brilham e cantam, são notas
no peito do passarinho.

MORENA E CLARA

Quem não conhece
Morena e Clara?

Morena miúda,
passos geométricos.
Lábios polpudos
de labareda.

Clara pernalta,
mole como água.
Doce de leite
são seus cabelos.

Ouço Morena:
música brusca
de frutas verdes
e arranha-céus.

Clara desliza
(câmera lenta)
pelos teclados
do polo antártico.

Serão amigas
Morena e Clara?...

RONDA DE FLORES

Altivas rosas,
cravos de joelho.

As margaridas
estão sorrindo
com dentes claros.

Os miosótis
estão pensando
com olhos míopes.

Há lírios brancos
e lírios roxos.

Tablados verdes
cheios de flores.

Nas alamedas,
velam ciprestes.

RONDA DE ESTRELAS

Na noite em gruta
cantam estrelas.
Cantam e dançam
ao redor da lua.

– Lua, acorda,
vamos brincar!
Temos brinquedos
novos!

Dançam e brilham
na noite em gruta,
vivas estrelas.

Menina morta,
a lua.

FLORIPA

Floripa era uma tulipa
era uma tulipa negra:
alta, magra e negra.

Não sei se é verdade, contam
que ela dormia ao relento,
na serra habitada de onças.

Passam meses, entram meses,
desapareceu Floripa.
De súbito reaparece
nos seus largos passos rítmicos.

Todos conhecem Floripa.
Floripa só fala com a sombra,
fala, fala, gesticula,
entre borboletas e cães.

Os vestidos de Floripa
lembram asas voando.
Negros membros esculpidos
com panejamentos de onda.

Floripa era louca mansa:
por que será que os meninos
apedrejavam Floripa?

CAPIM MELADO

Capim melado ao meio-dia.
Capim melado estendido
nos lombos do morro.

Capim melado com sono.
Capim melado parece uma colcha,
parece um colo
fofo.

Capim melado de orelhas pendentes
como orelhas de cão
em modorra.

Mas à tarde capim melado
passeia ao vento o manso corpo
com brincos de orvalho
nas orelhas a prumo.

CABOCLO D'ÁGUA

Caboclo d'água ô
caboclo d'água.

Caboclo d'água
vem de noite
– assombração.

Caboclo d'água
molengão
tocando viola.

Caboclo d'água
vá-se embora
vá-se embora
caboclo d'água
não me chame
não!

A chuva é muita
sobe o rio
no barranco.

O vento chora
mais que reza
uma oração.

Acende a vela
minha gente,
eu tenho medo.

Eu tenho medo
de afogar
na escuridão.

TITIA

Titia é tão silenciosa!
Não sei por quê.
Nem sei por que é que recorda
uma flor de papel.
Titia não tem casa:
mora conosco.
Borda muitas almofadas
e sabe receitas de doce.

Nos dias de aniversário
(nossa casa é um labirinto)
titia parece fada:
tudo quanto ela toca
é um brinco.
Mas sempre à hora da festa
titia desaparece.

Dizem que noutros tempos
titia foi moça de luxo.
Porém hoje tem rugas
em penca.

CASTELOS

Areia fina
feito farinha
coada entre os dedos
arma castelos
à beira-mar.

Como peneira
meus dedos coam
a fulva areia
que é de ouro em pó.

E os meus castelos
se erguem mais alto
do que as vagas
ao redor.

Amplos castelos
com salas nobres
e balaústres
e galerias.

Faíscam púrpuras,
espelhos brilham,
cintilam gemas
pelas paredes.
Por isso – vede –
nos meus castelos
todas as ondas
querem morar.

Chegam navios
de outras paragens
de longe apontam
os meus castelos.

E eu no meu posto
sempre de guarda:
– Quem vem lá?

Espero um dia
– verde farol –
nos meus castelos
hospedar
um velho rei cansado – o Sol.

PALAVRAS

Uma tarde entre avencas
junto à fonte em murmurinho
trocavam duas meninas
as primeiras confidências.

– Quem me dera
inaugurar a primavera
vestida de borboleta
sobre um campo de flores
para bailar e bailar
a dança das sete cores...

– Quem me dera
ter o meu vestido branco
de açucena
para casar
na capela branca de
Santa Maria Serena...

Essas palavras o vento
imaginou que eram nuvens.

OS RIOS

Os rios
não ouvem
as vozes
que os chamam.
Roseiras
se curvam
com doces eflúvios
ao vê-los
passar.

Escarpas
à margem
se eriçam
de pedras.
Caminham
os rios,
não olham,
não sentem.
A lua
baixando
seus raios
às águas,
num hausto
pergunta:
Ó rios
dizei-me
que sonho
vos leva
que nunca
se cansam
as águas
de andar?

E as águas
pesadas
rolando
no leito
de grossos
calhaus,
no dorso
levando
sorrisos
de espuma,
caminham
os rios.
Caminham
os rios
guardando
profundos
segredos.
Caminham
gastando
sorrisos
de espuma.

BOIZINHO VELHO

Boizinho de olhos cansados,
Boizinho de olhos compridos,
sentado nas quatro patas
numa curva de caminho.

Os carros subindo o morro
(boizinho agora se lembra)
cantavam – ou era um choro?
(mas isso foi no outro tempo).

PAINEIRA

Paineira boa
do meu quintal.
Piso-te as flores
tu me dás paina.

Todos os anos
as flores perdes
para que eu pise
róseos tapetes.

Meu travesseiro
sempre macio
cada janeiro
tem nova paina.

Paina, carícia
do meu remanso.

Flores, prenúncio
de céus vindouros.

Paineira bela
dos meus amores!

O AQUÁRIO

No centro da mesa
de negro verniz
o aquário de vidro
cheio de água fresca.

Em volta do aquário
com lânguidos olhos,
três meninos louros.

Peixinhos espertos
nadando no aquário
são pêndulos certos
de um relógio ao sol.

No entretanto os olhos
dos meninos louros
os olhos oblongos
no longo namoro,
os olhos são peixes,
nadando no aquário
como num espelho.

SONO

Barco de passeio
num balanço lento
buscando sossego
lá vai na corrente.

Lá vai na corrente
caudalosa e espessa,
carregado de sono.

Rio sem rumores
rolo de fumaça
vai rolando surdo
vai levando o barco.

Barco de passeio
a gente quer ver,
a gente com os olhos
carregados de areia.

Rio de petróleo
pardo-verde-musgo
as ondas envoltas
como em algodão
sobe pelas margens
alagando tudo.

Barco de passeio
num largo bocejo
sô-sô-soçobrando
ahn... com sono.

AS BORBOLETAS

As borboletas vinham juntas
como colegiais às centenas.
Voavam delicadas e dúbias
parecidas como gêmeas.

A manhã era um rio manso
cristalizado nos ares.
Barcos veleiros boiando
as borboletas deslizavam.

Sopros de zéfiro, suspiros
– quem sabe? – de algum ipê
que se despojava, lírico,
para nunca mais florescer.

CIRANDA DE MARIPOSAS

Vamos todos cirandar
ciranda de mariposas.
Mariposas na vidraça
são joias, são brincos de ouro.

Ai! poeira de ouro translúcida
bailando em torno da lâmpada.
Ai! fulgurantes espelhos
refletindo asas que dançam.

Estrelas são mariposas
(faz tanto frio na rua!)
batem asas de esperança
contra as vidraças da lua.

PIRILAMPOS

Quando a noite
vem baixando,
nas várzeas ao lusco-fusco
e na penumbra das moitas
e na sombra erma dos campos,
piscam, piscam pirilampos.

São pirilampos ariscos
que acendem pisca-piscando
as suas verdes lanternas,
ou são claros olhos verdes
de menininhos travessos,
verdes olhos semitontos,
semitontos mas acesos
que estão lutando com o sono?

O TEMPO É UM FIO

O tempo é um fio
bastante frágil.
Um fio fino
que à toa escapa.

O tempo é um fio.
Tecei! Tecei!
Rendas de bilro
com gentileza.
Com mais empenho
franças espessas.
Malhas e redes
com mais astúcia.

O tempo é um fio
que vale muito.

Franças espessas
carregam frutos.
Malhas e redes
apanham peixes.

O tempo é um fio
por entre os dedos.
Escapa o fio,
perdeu-se o tempo.

Lá vai o tempo
como um farrapo
jogado à toa!

Mas ainda é tempo!

Soltai os potros
aos quatro ventos,

mandai os servos
de um polo a outro,
vencei escarpas,
dormi nas moitas,
voltai com o tempo
que já se foi!

NAUTA

Eu quero, eu quero ser nauta!
E na rede se embalava.

A rede era um barco no ímpeto,
ao jogo de ondas e sonhos.

Com espuma, vento e areia,
(eram as franjas da rede)

remarei a todo pano,
contra a maré remarei.

Os remos de lado e lado
eram pernas penduradas.

A cabeça no galeio
batia contra a parede.

E a voz da experiência ao nauta:

– Olhe que tábuas de assoalho
não são propícias a náufragos!

ESPERANÇA

Menininha travessa,
Esperança.
Ri com dentes de leite
e engana.

Sabe como ninguém
brincar de esconder.
Disfarça-se entre roseiras,
fere-se nos espinhos
rindo, rindo.

Mas nunca se deixa apanhar.

Foi minha companheira de infância
e é sempre a mesma:
irrequieta e ingênua
como se tivesse nascido ontem.

Remendei muitas vezes,
menininha em farrapos,
a tua saia de dois palmos.

Quem sabe se ainda te verei
por campos e penedias
saltando riachos e fragas
como uma cabritinha ébria?

PASSOS

Passos de brinquedo, leves,
que não conhecem o chão.
É o bebê que faz a estreia
com sapatinhos de lã.

Passos que dizem bom-dia
de tão claros, tão alegres!
São as meninas crescidas
que voltaram do colégio.

Passos enérgicos, largos,
tremem as próprias paredes.
São os homens do trabalho,
que não têm tempo a perder.

Vagarosos passos últimos
arrastados em chinelos.
São as vovozinhas surdas
acalentando seus netos.

ECO

Papagaio verde
deu um grito agudo.
Rocha numa raiva
brusca, respondeu.

Ganhou a floresta
um grande escarcéu.
Papagaios mil
o grito gritaram,
rocha repetiu.

De um e de outro lado
metralhando o espaço,
os gritos choveram
e choveram, de aço.

Gritos agudíssimos!

Mas ninguém morreu.

COLÉGIO

Dois a dois
dois a dois.

E a fila
serpentina
escorrega
nas escadas
estica-se
nos corredores
projeta-se
nos pátios.

Só o rumor
tranquilo
dos passos
ritmados.

Do assoalho
batido
como um tambor
sobe poeira
para as narinas
dóceis.

Dois a dois
dois a dois.

A fila parece um barco
elástico
movido por inúmeros
remos.

JARDIM CELESTE

Sonhei com o Jardim Celeste
– giroflê, giroflá.
Sonhei com o Jardim Celeste
e era uma roda a girar.

Uma grande, grande roda
com laços de fita e névoa.
Bocas de rubra corola
bebendo goles de zéfiro.

A roda girando louca,
sempre mais louca e mais rápida.
Os vestidos como sopros
galgando aéreas escadas.

Roçavam quase que as nuvens
tranças negras, áureas tranças.
Que eram meninas (ou anjos?)
subindo ao céu por descuido.

ARCO-ÍRIS

Casa colonial
com sete sacadas
todas com vidraça
de puro cristal.

São sete meninas
através dos vidros.
E os seus vestidos
são coloridos.

As meninas (sete)
a tarde refletem
penteando os cabelos
com pentes aéreos.

Enquanto isto o sol
do seu fundo cofre
sobre o lago em sombra
sete cores joga.

O lago tremula
com pingos de chuva.
E as cores fulguram
num vago crepúsculo.

De suas sacadas
as pequenas iaras
penteando os cabelos
com pentes aéreos

o Arco-Íris namoram.

SIDERÚRGICA

Ferro no fogo
fogo no ferro.
Boca de forno
calor de inferno.

Homens metálicos
– de bronze oleoso –
carregam garfos
cerimoniosos.

Garfos com dentes
pontiagudos
mordem fogo
duro.

Fogo de aurora
em tempo seco.
Fogo de rosa
sem rebento.

Fogo de amostra
– surdo e exato –
em recortes
quadriláteros.

Doce de fogo
cristalizado
para a gula
de Satanás.

FRIO E SOL

Salinas ao sol.
Que claras salinas!
Mares frios, verdes.
Blandicioso vento.

E os montes nevados
com as pátinas róseas
do alvorecer?
Agulhas de prata
enfiando colares
de frocos de neve
que são róseas pétalas
nascentes.

E os pátios vazios,
amplos, sem ninguém?
Ladrilhos lavados
brancos de leite
brancos quadriláteros
com frisos azuis
sob o céu tropical.

Ó fina delícia!
Sorvete de frutas
em taças de vidro
amarelo-claro
com voz de canário.
(Canários encerram
nas gargantas cálidas
frígidos reflexos
de espelho.)

E os dedos gelados
buscando aconchego
na camurça tenra
das luvas?

Ó fina delícia
do frio com o sol!

CREPÚSCULO COM TRÊS MENINAS

Pessegueiro desmaiado,
ainda há pouco eram tão vivas
as tuas flores nas hastes!

VAIDOSA levou-me as cores,
bordou-as a seda frouxa
no seu vestido de baile.

Campo, onde estão as papoulas
rubras, que têm tanto sono,
apenas chega o crepúsculo?

PREGUIÇOSA as recolheu
entre os macios tapetes
do seu quarto de dormir.

Falenas, por que fugis
para os bosques verde-negros
sem esperar pela noite?

MENTIROSA, com a desculpa
da penumbra, garatuja
borboletas de mentira.

AS MADRUGADAS

Madrugada azul
diáfana
cabelos de espiga
e vestes lavadas
desceu da montanha
como uma fada,
corpo de violino
desapareceu nos lagos.

Madrugada rosa
cabeça de fogo
girassol ou dália
fazendo piruetas
irrompeu no terreiro,
acordou os galos
e saiu correndo
num pé-de-vento.

Madrugada verde
com dedos de geada
despiu a neblina
das árvores,
estendeu as mãos
bem alto
e apanhou o sol
como uma fruta
verde-cristal.

Madrugada amarela
cara de sono
olhou de soslaio
com vergonha

o relógio parado
e arrastou os passos
na areia.

Madrugada branca
ainda sonha com os anjos.

MANINHA

Vamos, Maninha, vamos,
por entre as dunas
passear!
É uma gôndola a manhã,
claro céu, verde mar!

(Ó o frio das espumas!
Maninha treme de frio
no aconchego das lãs.)

Vamos, Maninha, vamos
por entre os bosques
passear!
Brilham frutos nos ramos,
baixa a sombra das árvores.

(Ó os vultos do arvoredo!
Maninha os membros encolhe
como se tivesse medo.)

Vamos, Maninha, vamos,
à cidade das luzes
passear!
Subiremos a montanha
de mãos dadas com a lua.

(Ó a cidade estranha,
este silêncio insólito!

Maninha pendeu a fronte
qual noturna magnólia.)

LÁGRIMA

Sereno da madrugada
espiando pela neblina.
Lágrima de Maria do Céu
espiando através dos cílios.

– Eu caio, eu caio, eu caio,
sereno,
eu caio.

Lago de úmidas safiras,
oásis com palmeiras tenras.
Brilho de orvalho suspenso
pelo zéfiro em balanço.

– Eu caio, eu caio, eu caio,
sereno,
eu caio.

O fulgor do lago aumenta,
lago entre flexíveis juncos.
Gota de cristal boiando,
as safiras num crescendo.

– Eu caio, eu caio, eu caio,
sereno,
eu caio.

Estrias de alba morrendo
à borda dos longos cílios.

CASA

Casa no mar
no fundo do mar.
Casa de madrepérola
com balanços de água,
caracóis de espuma
e delícia muita
para brincar.

Casa no céu
no topo do céu.
Casa de luzes
com trapézio de nuvens,
a trombeta dos anjos
e muitíssimo ânimo
para brincar.

Casa na terra
num canto ou noutro,
casa de tijolo
para morar.

LAÇOS

Laços de fita?
Veias azuis.
Laços que ligam
o norte e o sul.

Juntam os rios
vales e cumes.
As veias unem
velho e menino.

Ouro de algemas
brilha no escuro
prendendo os tenros
aos sábios pulsos.

No vinho novo
da mesma vinha
sente-se o gosto
do antigo vinho.

Raízes, caules,
uvas e folhas
enredam, tramam
confusas sombras:
cabeça loura,
cabeça branca.

Dos dois extremos
por laços tênues
como se entendem
o avô e o neto!

Gracioso idílio
que se repete:
sobem telhados

e miam gatos,
rolam tapetes,
– falta de siso,
falta de siso
com muitos risos.

Dadas as mãos
tudo permutam:
mesmo caminho,
mesmo tamanho:
neto, netão,
avô, vozinho.

Laços de fita?
Veias azuis.
Laços que ligam
o norte e o sul.

ORAÇÃO

Na alcova com lâmpada
e sombras secretas
uma criança reza.

Vento que entre folhas
passas sussurrando,
se entrasses na alcova
em que reza a criança
reconhecerias
o mais tenro broto
que jamais abriu
o orvalho da noite.

Ó anjos de Deus,
baixai vossos olhos
por entre as estrelas,
contemplai, suspensos
aos elos da graça,
o irmãozinho tenro
– sem céu e sem asas –
que de joelhos reza.

Na alcova com lâmpada
e sombras secretas
em que a tua criança
de mãos postas reza,
nem tu, Mãe, não entres:
Menino Jesus
deve estar presente.

DIVERTIMENTO

O esperto esquilo
ganha um coco.
Tem olhos intranquilos
de louco.
Os dentes finos
mostra. E em pouco
os dentes finca
na polpa.
Assim, com perfeito estilo,
sob estridentes
dentes,
o coco, em segundos, fica
todo oco.

OS CARNEIRINHOS

Passam em ordem os carneirinhos:
cabeça baixa vão para a escola
rechonchudinhos agarradinhos
de calça e blusa livro e sacola.

Assustadiços nos dedos contam
conta difícil três vezes quatro.
Guardam na língua respostas prontas
nomes concretos nomes abstratos.

Os carneirinhos do alto (são nuvens)
– que diferença desses da fila –
caminham soltos brincam volúveis
sem campainhas. Que maravilha!

Sempre em recreio rolam nos ares
andam na bola do mapa-múndi.
História-pátria não estudaram
nem geografia nem cousa alguma.

Carneirinhos que vivem na terra
carneirinhos que moram no céu.

CANTIGA DE VILA-BELA

Malvácea de fibra longa
em Vila-Bela
denso arbusto de três anos
que já destela
tipo de algodão perene
flor de aquarela.

Nas áreas sanfranciscanas
nesta e naquela
graça de plantar e de
colher singela
clara fonte de riqueza
se nos revela.

Venham cotonicultores
com a parentela
dançar a dança do júbilo
e por tabela
despertando morro, praia,
campo e favela

às margens do rio pátrio
que se desvela
construir a nova cidade
verde-amarela
para que vivam felizes
o ferrabrás e a donzela.

REPOUSO

Varanda em sombra à hora do sol.
Preguiça mais doce que o mel.
Água num copo de cristal
com o vago reflexo azul
do céu lavado de anil.

Sobre a mesa flores e pão.
(Quanta riqueza se contém
numa lareira, num jardim!)
Livros bem guardados e um
rádio em silêncio. Que bom!

Hora simples, hora feliz.
Nada de novo para nós.
Na transparência da luz
como um lago em placidez
talvez deslize o anjo da paz.

CANOA

Alto-mar uma canoa
sozinha navega.
Alto-mar uma canoa
sem remo nem vela.

Alto-mar uma canoa
com toda a coragem.
Alto-mar uma canoa
na primeira viagem.

Alto-mar uma canoa
procurando estrela.
Alto-mar uma canoa
não sabe o que a espera.

OS BURRINHOS

Os burrinhos orelhudos
carregam livros no lombo.
Pela esquerda, de mistura,
pendem dois grossos Camões.
Do outro lado se penduram
infólios de São Jerônimo.
Os burrinhos orelhudos
irmãos do asno de Balaão.

À conta dos pobres bichos
por desfiladeiros hiantes
sobem Homero e Virgílio
para altíssimas estantes.

Sobem os mestres do estilo
volumosos e triunfantes.
Dariam queixa os burrinhos
se o anjo tivessem por diante.

Custam prata, custam ouro,
livros com armas de Antuérpia,
de Roma, de Varatojo.

De Elzevir a águia com as flechas,
de Grifo o excelso condor,
pesa que os burrinhos levem
sem a experiência do voo.

Entre a natureza e a glória
os liames fortes da graça.
Rompendo os cascos na rocha
ai! que os burrinhos já falam.

O PALHAÇO

I

O palhaço é um menino
sorrateiro.
Faz gracejos de fino
o tempo inteiro.

Seja no circo
ou seja diante do espelho
usa máscara: é um mico
pintado a verde e vermelho.

Troca o certo pelo falso,
toca flauta de bisonho
sem ser músico. O palhaço
vive em nuvem de sonho.

II

O circo é redondo
ao redor do palhaço.
É redoma o espaço
à volta do homem.

Circunscrito
ao circo
o palhaço é destro
no errar o passo.
Quando dança emperra
no descompasso.
Cara de farinha
gira o pescoço
não mais do que osso

dentro ao colarinho.
Tenta cambalhotas
ensaia cabriolas
grotescas
piruetas.

O homem – que ocupa
o centro do mundo –
não será palhaço
com maior espaço?

LIBERDADE

Firma-se em cada construção
o alicerce da Liberdade

Fica na colina do centro
o Palácio da Liberdade

Abrem-se para os quatro cantos
as janelas da Liberdade

Todos os caminhos circulam
em demanda da Liberdade

Trêmulos arbustos se inclinam
diante da flor da Liberdade

Espáduas humanas sustentam
os mármores da Liberdade

Palpita em cada coração
o pássaro da Liberdade

Auréolas pairam sobre a cruz
na escalada da Liberdade

A MENINA SELVAGEM

Para Ângela Maria

A menina selvagem veio da aurora
acompanhada de pássaros,
estrelas-marinhas
e seixos.
Traz uma tinta de magnólia escorrida
nas faces.
Seus cabelos, molhados de orvalho e
tocados de musgo,
cascateiam brincando
com o vento.
A menina selvagem carrega punhados
de renda,
sacode soltas espumas.
Alimenta peixes ariscos e renitentes papagaios.
E há de relance, no seu riso,
gume de aço e polpa de amora.

Reis Magos, é tempo!
Oferecei bosques, várzeas e campos
à menina selvagem:
ela veio atrás das libélulas.

VIAGEM

Pela tela
quadrangular de cristal
da minúscula janela,
a paisagem de aquarela
multiforme, tricolor,
é uma fita natural:
verde-azul-vermelho em flor.

O trem que no mesmo instante
aqui estava e está distante
é um pequeno polegar
que usa botas de gigante.
Quem é que o pode alcançar?

Bota fogo pega fogo
bota fogo pega fogo.

Subindo escarpas pedrentas
que têm escamas de prata,
rompendo as tramas da mata
que têm dragões de unha em ponta,
torcendo-se em curvas tontas
pelas estradas barrentas,
rasgando da terra o ventre,
embrenhando-se por entre
as furnas
mais que soturnas,
lá vai a negra serpente
de atitudes assassinas:
e resfolga e atroa os ares
com seus silvos pontiagudos
que são ameaças aos céus
e vai deixando fumaça
como um lenço de veludo

como um sinal de desgraça
num longo gesto de adeus.

Lá ficaram muito atrás
os potros de crina ao vento.

Já podem dormir em paz
os bois de olhar sonolento
que estão a dizer amém
pela solidão inóspita.

Desaparecem aquém
como caixinhas de fósforo
os casebres de ninguém.

Caminha mais devagar
ó trem, porque tenho medo
de nunca mais lá chegar.

Mas o trem não ouve nada,
morde os ferros, range os dentes,
em fuga desabalada.

Bota fogo pega fogo
bota fogo pega fogo.

A FACE LÍVIDA (1941-1945)

À memória de Mário de Andrade

A FACE LÍVIDA

Não a face dos mortos.
Nem a face
dos que não coram
aos açoites
da vida.
Porém a face
lívida
dos que resistem
pelo espanto.

Não a face da madrugada
na exaustão
dos soluços.
Mas a face do lago
sem reflexos
quando as águas
entranha.

Não a face da estátua
fria de lua e zéfiro.
Mas a face do círio
que se consome
lívida
no ardor.

OS LÍRIOS

Certa madrugada fria
irei de cabelos soltos
ver como crescem os lírios.

Quero saber como crescem
simples e belos – perfeitos! –
ao abandono dos campos.

Antes que o sol apareça
neblina rompe neblina
com vestes brancas, irei.

Irei no maior sigilo
para que ninguém perceba
contendo a respiração.

Sobre a terra muito fria
dobrando meus frios joelhos
farei perguntas à terra.

Depois de ouvir-lhe o segredo
deitada por entre lírios
adormecerei tranquila.

RESSONÂNCIA

Os ventos passam
estalam cordas.
Os astros cantam
as cordas gemem.
Dançam os mundos
a dor é música
nessa inaudita
raiva infinita
de revelação.

E veio um tempo
em que houve espectros
e espelhos de aço
na escuridão.
Nas noites árduas
à treva expostos
vivos e mortos
se confundiam.

E as cordas tensas
mal se continham,
surdas uivavam
com o mar bravio
vendo os espectros
beirando abismos,
vendo os espelhos
que se partiam
de encontro às rochas
na escuridão.

Cordas revoltas
em ressonância
na ânsia profunda
de revelação.

E vieram lagos
de água estagnada
com verdes limos
escorregando.
Cítaras longas
tangem melódicas
nas ilhas longe
nasceram vimes.

Que força, ó cordas,
vos prenuncia,
delicadeza
de borboleta
ou covardia
de coração,
na ânsia tremenda
de revelação?

Tudo diríeis,
tudo direis
nessa inaudita
raiva infinita
de revelação.

A PAZ, A LUA

Eu quero a paz, a grande paz
da lua sozinha no céu.
A paz sem a menor lembrança,
a paz de quem nunca viveu.

A paz que reina nos domínios
onde não há musgos nem germes.
E não há sulcos nos caminhos.
E há seiva debaixo da neve.

A paz sem devaneios, dentro
dos seus nítidos horizontes.
A paz dos cristais no silêncio
sem nenhuma ideia de som.

A paz que precedeu às sombras,
a que antes das tréguas nasceu.
A que nos tempos não se encontra,
a que foi desejo de Deus.

Eu quero a paz com perfeição
de flor e orvalho, quero a paz
ao alcance de nossas mãos,
com a substância e as cores do nácar.

Porém eu quero a paz acima
de qualquer sopro humano – ou mácula.
Com delicadezas de vime
guardada de todo contacto.

Assim como a lua sem noite
e sem espaço, de tão leve,
miragem que se desvanece
em frente ao anjo anunciador.

A lua sem anjo ou demônio,
alheia aos mares que descobre
no caminho da solidão
para lá da vida e da morte.

Eu quero a lua toda pura,
a lua sem venda nos olhos.
Enquanto a terra em febre estua,
a lua contempla – e não cora.

Eu quero a paz, quero a lua.

LUCIDEZ

Após o dia rumoroso
veio à noite uma grande paz
na quietação das cousas.

Lucidez de cristal
na sombra,
fundas âncoras
de consciência abismada.

Poder pensar que existes,
rochedo obscuro entre ondas,
inteireza de esfinge.

Trazer a grande paz ardente
no coração que sangra
e se esvai no silêncio.

O ANJO DA PAZ

Por vereda obscura
um dia se foi.
No rosto levava
o estigma da injúria.
Das alvas sandálias
sacudia o impuro.

Sem que o conhecêssemos,
vida cotidiana
partilhou conosco.
Sentava-se à mesa,
mais simples que todos
repartia o pão.

Ninguém perguntava
qual a sua origem.
Nem mistério havia
no seu vulto cândido.
Nada mais que um anjo
nos evocaria.

Sob a sua sombra
– talvez fossem asas –
mar de sofrimento
se tornava manso
como acariciado
por gestos amantes.

Na sua presença
cada qual podia
guardar o silêncio
sem nenhum desprezo:
que eram luz de espelho
os olhos nos olhos.

Hoje que se foi
por mundos ignotos
deixando-nos trevas
e ranger de dentes,
só hoje que as águas
do rio se abriram
repudiando, odientas,
corpos trucidados,
só hoje sabemos
que era o anjo da paz.

O MILAGRE

Depois de cada noite amarga
sempre aguardastes o milagre
sem saber que milagre.

Sempre aguardastes o milagre
com essa angústia infinita
de quem sente que morre
sem ter logrado o que deseja.

Sempre aguardastes o milagre
com a infinita paciência
de quem viveu à espera
e sabe, à hora da morte, por que espera.

O relógio parou na madrugada.
Sopra um hálito frio no silêncio.
As mães, as pobres mães estão transidas
apertando no seio os filhos mortos.

O milagre virá. Não é possível
ai! que estas crianças estejam mortas!

CANÇÃO

Noite amarga
sem estrela.

Sem estrela
mas com lágrimas.

BRISAS DO MAR E DA TERRA

Mensagens do mar – tão fundas! –
gritos de náufragos, lenços
boiando por entre espumas.

Vastas mensagens da terra
com perfume de florestas
e regougo de sertões.

Recado que o mar envia
como o sal e como a vida.

Resposta que a terra manda
para se perder nas ondas.

OURO, INCENSO E MIRRA

Ouro, incenso e mirra
para o meu crepúsculo.
Ouro, incenso e mirra
no momento justo.

Momento completo
quando as águas chegam
às bordas do poço
e nenhuma brisa
respira à flor d'água.
Espelho dormido
de profundidade.

Por quantos desertos
andastes vagando,
quantos dromedários
conheceram sede,
que verdes miragens
umas após outras
nas areias móveis,
para que chegásseis
no momento exato
quando brilha a estrela
no último lampejo.

E quantas auroras
de sangue com lágrimas,
que ácidas recusas
de supérfluas dádivas,
que íntimo silêncio
por baixo das veias,
para que estas mãos

se tornassem diáfanas,
diáfanas a ponto
de as reconhecerdes.

Ouro, incenso e mirra.

A FONTE AZUL

Ah! Só quem viu a fonte azul,
a fonte azul jorrando lágrimas!
Seria apenas uma fonte
ou neblina de estrela-d'alva
de bruços na madrugada?

Em torno dela havia uma aura
de deslumbramentos estranhos:
toda uma raça de tulipas
e orquídeas com perfumes brancos.
E também havia um segredo
de finas cordas intangidas,
remanso de verdes matizes
tufado pelas alfombras.

Ficava bem longe a estância:
depois de campos e florestas.
Era mister vencer as ondas
de largos e largos mares,
de tempos muitos e muitos,
para essa visita à gruta
de que ressumbravam mistérios.

Mas não havia mistério
que fosse menos distante:
era uma gruta, era uma fonte
guardada por uma donzela.
No interior nublado de azul,
do azul profundo das pedras
as bátegas saltavam vívidas
ressoando, depois tombando
numa exalação de suspiros.

A água embora fosse a mais límpida
não realizava milagres.
Aquele que dela bebia
ficava talvez mais pálido.
Quando de natureza tenra
aprendia a guardar silêncio.
Então – e não havia dúvida –
uma vez por outra voltava.

TRIGO E JOIO

Campo de trigo com joio.
Alma e corpo. Mescla estranha.
Neve surda, neve imácula
inoculada de nódoa.

Pingo de treva na luz
em breve os olhos ofusca
(os olhos fixos na nódoa).

No princípio era semente
e foi crescendo, crescendo,
aranha de muitas pernas
raia por todos os pontos,
raízes pegam, são garras.

No princípio do tamanho
de um grão de mostarda, um grão:
– quem pensaria em tentáculos?

Alma e corpo, joio e trigo:
como no vento se abraçam!

Íntimo trigo: que luta
para conservar-se intacto!

CHUVA

Chuva torrencial
carregada de frutos.
Chuva exausta
de longos braços
pendentes.

Chuva nos campos da fatalidade
entregando bandeiras.

Música opulenta de rios
que se despenham.

Durante noites e noites.

As criaturas estão à espera
protegidas pelas paredes
e a palavra – sol
unge todos os lábios.

Só eu na minha imensidade sem teto,
só eu te suporto o peso,
só eu te sorvo esse gosto
de morte.

Chuva, plenitude amarga
de derrota.

Sinto que és retorno,
corpo cansado de espírito,
corpo vencido,
corpo
que se entrega
pesadamente
à terra.

ORGULHO

Pago caro o orgulho
de buscar na vida
aquilo que busco.

Desdenho a fumaça
que oscila no vento:
nas mãos, na consciência
tenho cinza fria.

Às impuras águas
plasma qualquer forma:
e agonizo lenta
com sede nos lábios.

Pago caro o orgulho
de querer perfeita
minha vida efêmera.

INOCÊNCIA

Eu hoje vi a inocência
nos olhos do velho bêbedo.

Talvez ninguém acredite.

Os olhos do velho bêbedo
sorriam na complacência
de uma luz que se despede
como se a luz fosse eterna.

Talvez nem houvesse luz,
fosse apenas ilusão,
sombra de aurora, crepúsculo.
Essa ilusão que persiste
e que a si própria se basta
sem matéria, sem futuro.

Talvez ninguém acredite:
havia um mundo perfeito
de renúncias instintivas
nos olhos do velho bêbedo.

Uma transfusão gratuita,
mãos dadas, nenhum contacto,
nenhum pedido mas dádiva,
dádiva de quem não tem.

Eu hoje vi a inocência.

Não foi nos dentes de leite
de nenhuma criança loura.
Nem na flor de laranjeira
sobre os cabelos da noiva.
Foi exatamente dentro
dos olhos do velho bêbedo.

Azul do céu, limpidez
de lírios amanhecentes,
é preciso com perícia
ocultar toda malícia
aos olhos do velho bêbedo!

A FACE LÍVIDA

Lábios que não se abrem, lábios
com seu segredo
calado.

Segredo no ermo da noite
resiste à rosa dos ventos
calado.

Flauta sem a vibração
do sopro.
Luar e espelho, frente a frente,
em calada
vigília.

Fria espada unida
ao corpo.

Resto de lágrimas sobre
lábios
calados.

Borboleta da morte
em sorvo
pousada à flor dos lábios
calados
calados.

A LUA

A lua abstrata
sem sentido,
a lua pálida
com as suas
iniludíveis
fundas máculas,
a lua de epiderme
fria,
de alma cerrada
como incógnita,
a lua tímida
que míngua,
a lua curva
que espera...
Ah! essa lua
que governa
os mares!

PÉROLA

Delicadeza de caule
oculta na sombra a flor.

Um anjo que ninguém vê
caminha nos corredores
pé ante pé
como sobre tapetes
para não despertar.

Malícia fina
dissolve entre os dentes
a palavra que palpitou
na língua
mas que ao silêncio volta
para não melindrar.

Paciência que não engana
aquecendo sem brilho
à espera
retarda uma vez mais
a carícia
para não assustar.

Pérola entre pérolas
no fundo do mar.

PALMEIRA DA PRAIA

Palmeira da praia
sacudindo as folhas
com gestos graciosos,
nervosa palmeira,
nervosa, graciosa,
escondendo o rosto
com verdes rubores
ao vento que passa.

Palmeira da praia
talhe esbelto e esgalgo
procurando longe
com olhos agudos,
mostrando recortes
de céu entre os dedos,
abanando lenços
em brancos adeuses.

Palmeira entre nuvens
que nunca resolves
esse ar delicado
de espera e renúncia.

Conheço-te muito,
palmeira da praia,
teu bom gosto e instinto
de amorosa e casta.

TERRA NEGRA

Numa terra negra
que mal acredito,
num planeta alheio
a este céu tão lúcido,
num planeta fora
de todas as órbitas,
a horas que não ousam
fixar os relógios,
se derramam lívidas
torrentes de sangue
para o bom cultivo
de jardins recônditos.

A flora macabra
com legados de honra
precisa de sangue
para alimentar-se!

Dálias e papoulas
de um parque vindouro
surgirão do solo
para que outros seres
– chegado o seu turno –
calados pereçam.

Mais sangue, mais seiva
para a terra negra!
A festa é de púrpura?
Quereis sangue rubro?
Tomai-o dos poetas
que se retemperam,
as liras ao fogo.
Quereis sangue claro
de nascente rosa?
Tomai-o das crianças,

tomai-o das jovens
mulheres redondas
que exibem segredos
de felicidade.
Sanguíneas inéditas
de várias espécies!

Um dia que eu vejo
em futuro próximo
romperá o sol
sufocando a terra
negra, negra terra,
babujando-a com
lodosos, espessos
vômitos de sangue.

UM POETA ESTEVE NA GUERRA

Um poeta esteve na guerra
dia a dia, longos anos.
Participou do caos,
da astúcia, da fome.

Um poeta esteve na guerra.
Por entre a neve e a metralha
conheceu mundos e homens.
Homens que matavam e homens
que somente morriam.

Um poeta esteve na guerra
como qualquer, matando.
Para falar da guerra
tem apenas o pranto.

AS CRIANÇAS

A Gabriela Mistral

As crianças cantam.
Quero silêncio
perfeito.
Nem folha ao vento,
nem fontes múrmuras
entre arbustos.
Para bem longe
pássaros,
risos.
Ninguém me busque,
ninguém me beije.
Quero silêncio
de antes da gênese.
Quero silêncio
profundo e
amplo
para o canto
que se inaugura.
Dormem as crianças.
Quero sombra,
sombra de joelhos.
Quero sombra
azul e verde,
nuvens tênues
velando o tênue
lume das águas.
Nem mesmo a lua
das ilhas.
Nem olhos úmidos
na carícia.

Quero sombra
sem matéria,

sombra de Deus,
de Deus,
para este sono
primevo.

ALÍVIO

Menos sofrimento
– alívio.
Menos gozo
– alívio.

Revelação do mistério
ou véu no rosto
– alívio.

Delicada constância do suspiro
ou desistência por completo
– alívio.

Toque de recolher sobre a labuta,
bruxuleio da aurora esgarçando a espessura da noite,
– alívio.

Pulso orvalhado que não lateja mais,
que não responde mais à pressão amorosa
(oh! desespero para sempre!)
– alívio, alívio.

CANTAREI A NOITE E O MAR

Ó Noite de altas estrelas
que por milênios fulguram
como no instante da gênese!

Ó Mar que ninguém viajou
de ondas que semelham corças
ariscas, antes do amor!

Ó Noite, ó Mar, ó Virgindade,
ó Pureza das mãos de Deus!

Ó Noite de cada ser
que a todos tens pertencido
com tua vastidão de trevas
e teu hálito de flor!

Ó Mar que todo navegante
encontra nos seus mergulhos,
e que surge das espumas
amargas de cada boca.

Ó Noite, ó Mar, revelação
de Deus Único e Numeroso!

AS ILHAS ALEUTAS

Há fluxo e refluxo
na orla das praias.
A flor das espumas
fica no limiar.

Engodo ou promessa
das Ilhas Aleutas.

Ninguém a conhece,
a louca da casa.
Tem relógio certo,
nunca vem à baila.

Porém não toqueis
nas Ilhas Aleutas.

Cerrai com ferrolhos
portas e janelas.
A qualquer momento
poderá surgir,

prenúncio ou resíduo
das Ilhas Aleutas.

Não sei que acre ou fresco
odor de magnólias,

não sei que largadas
grandes borboletas

erram nos vergéis
das Ilhas Aleutas.

Deve haver um núcleo
de vagas quimeras

troncos de alaúde
com pequenos plectros

embalando o sono
das Ilhas Aleutas.

Motivos fortuitos
ou graves desígnios
tramando existências
tímidas e bruscas

são puro reflexo
das Ilhas Aleutas.

ARTE

Entre falsidades
és a verdadeira.

Febre de mentiras
a boca te queima.

Renegas os peitos
que te alimentaram.

Mas no fundo, pérfida,
és a verdadeira.

Cavalgas o abismo
não sei com que freios.

Jardins devastados
são os teus conluios.

Na hora dos ajustes
és a verdadeira.

Confusão extrema
de êxtases, sarcasmos,
e ranger de dentes.

Demônio triunfante,
demônio esmagado
sob os calcanhares?

Mistério, mistério.
Cessaram de súbito
risos e soluços.

Não há na cidade
pedra sobre pedra.

Verdades se arrasam
por ti, Verdadeira.

TRASFLOR

Borboleta vinda do alto
na palma da mão pousou.

Lavor de ouro sobre esmalte:
linda palavra – trasflor.

DAMA DE ROSTO VELADO

Dama de rosto velado
sempre de esguelha a meu lado.

Ainda a verei pela frente.
Talvez na próxima esquina,
talvez no fundo dos tempos.

Dama de sopro gelado
sustenta-se dos meus gastos.

Seiva de que vivo é o campo
de que recolhe as espigas.

Dama de luto fechado
caminha pelos meus passos.

Um dia nos deteremos:
eu estarei estendida,
ela será fratricida.

Dama de rosto velado
sempre de esguelha a meu lado.

ALARIDO

E veio a noite do alarido.

A noite clara, a noite fria,
com perfurados calafrios.

A noite com punhais erguidos
e olhos devassando perigos.

A noite cava, com ladridos
de cães atiçados. E espias.

A noite com tremores lívidos
e com membros estarrecidos
diante das ovelhas suicidas.

A noite de mármore e níquel
despedaçando-se em tinidos
no cristal violento das criptas.

Montanhas de ferro em vigília,
longas árvores comprimidas
e astros de fogo em carne viva

pasmaram de tanto alarido.

IMAGEM

Caminhei entre os homens
num silêncio consciente,
harmonioso e tenaz.

Palavras que eu sonhara
na cidade do asfalto
pareceriam esquivas
borboletas do campo.

Deste baixar de pálpebras
anônimo e sutil
teci eu própria a minha
túnica de martírios.

À hora em que me aproximo
desse outeiro escalvado
onde já não há musgos
enredando sandálias,

bem me parece que ouço
um princípio de música.

Mas não é para mim.

Talvez seja o prenúncio
de que uma flor azul
nascerá dos meus passos.

CANÇÃO DO BERÇO VAZIO

Canção do berço vazio
nunca a ninguém acalenta,
nenhuma voz a cantou.

Canção de lábios cerrados
que estremeceu no silêncio
muito antes de ter princípio.

Canção de peito oprimido
que não encontra palavras
porque nem o berço existe.

Ah! quem sonhara acalantos,
fontes escorrendo leite
para inconcebidos anjos?

Num país irmão da noite
canção da loucura mansa
para ouvidos que não ouvem...

Canção do berço vazio
entrecortada de prantos
e de risos escondidos...

Lá do outro lado do mundo
canção sem nenhum sentido
pobre louca está cantando.

MUNDO DA LUA

Mundo da lua
doce mundo.
Gira redondo
em fuga.

Ai plataformas da lua,
ai lua fora de alcance!

Lua de gazelas tenras
bebendo da água da fonte,
sede, sede mitigada
nas palmas do caçador.

Mas a lua gira, gira,
a cabeça vai girando,
a terra ficou distante,
o céu parece um balanço,
a lua resvaladia
meia volta vai fugindo,
a cabeça transtornou-se
com o beijo dado na face,
os pés pisaram em falso,
adeus ó mundo da lua!
mundo da lua tão doce.

CONSTÂNCIA

Roseira magra
em seiva ardendo
sem folhas
defende com espinhos
áspera
a pequenina flama
do coração exposto.

Como no peito
enxuto e côncavo
ai! essa máquina
pontual e heroica
acima de todas as desistências
batendo, batendo,
latejando, batendo
com tímidos golpes
de nodosos dedos
à porta que não se abrirá.

MENINOS DE VIENA

Vozes de orvalho
gota a gota
escorrem
pelos tecidos da noite.

Urna ou pétala,
a noite côncava
estremecendo ao toque
das gotas d'água?

E as gotas se unem:
fios de prata,
flexíveis dedos
entrelaçados.

Aranha clara,
será que é lua
cantando?

Cavalgam potros
na alta montanha.

Foscas raízes
vão como gatos
abrir de súbito
oh! que clareira
na mata!

É madrugada
raiando longe
nas ilhas verdes
de Taiti?

É um coro de anjos!
Anjos de carne
com faces tenras
de leite e nácar.

Limpas gargantas,
línguas voláteis
antes da amarga,
amarga esponja.

Crianças
de olhos vendados
adivinhando
mundos intactos.

DESGASTE

Desgaste do corpo
e da alma.

Tempo lento
e implacável.

Escancarada fauce
para incautos insetos.

Mão paciente
vinte anos
para brandir no escuro
o instantâneo punhal.

Limo, limo informe
atingindo no bojo dos séculos
– pelas arestas –
o cristal.

RINCÃO DE PAZ, ILHA DE SOMBRA

Rincão de paz, ilha de sombra,
olho ao redor, não os encontro.

Talvez fosse há muito mais tempo,
antes do meu conhecimento.

Rincão de paz, ilha de sombra
se projetaram na distância...

Rincão de paz com seiva de árvores
ardendo por outros pináculos?

Ilha de sombra com tais víboras
pela música adormecidas?

Rincão de paz, ilha de sombra,
nada haveria de mais cômodo.

Rincão de paz para ignorar
estas cousas que são tão claras.

Ilha de sombra para abrir
o seio ao consolo dos tristes.

Não vos aproximeis, viajantes!
Guardai apenas a visão.

Rincão de paz antes inóspito,
ilha de sombra depois da morte!

NATUREZA

Flores em guirlanda
ao longo dos troncos.

Cheiro intenso de uva
no bojo das frondes.

Música de bárbaros
à sombra dos bosques.

Sentidos cercados
de todos os lados.

Porém a alma, lúcida,
lúcida e amarga
como se fosse
cristal de rocha.

LONGAS CAMINHADAS

Longas caminhadas
pela terra em fogo.
Soalheira que estua
ladeiras abruptas.
Rosto descomposto
latejar de têmporas.
Longas caminhadas,
perdi-me no tempo.
Não sei por onde ando.
Por onde? pergunto.
Longas caminhadas,
resposta nenhuma.

Longas caminhadas,
solidão incômoda.
Quero vida em torno,
preciso de estímulo!
Cabeça de criança
para acariciar.
Passos arrastados
para conduzir.
Mocidade louca
sim, para invejar.

Longas caminhadas,
tenho os nervos gastos.
Ruas e mais ruas,
labirintos rudes,
onde a cada instante
se esbarram esquinas.
Praias rumorosas
sem nenhum descanso,
vagas em revolta.

Árvores em marcha,
fios telegráficos.
Estradas de ferro
levando sem trégua
para outras estâncias
a áspera certeza
de que nada existe.

A áspera certeza
de que nada existe
senão a esperança
e a desesperança
de outras caminhadas...

de outras caminhadas...

de outras caminhadas
para o nunca mais.

CLARO-ESCURO

Excursões intemporais
para dentro da existência.
Percurso de corredores
onde urge um raio de sol.
Um raio de sol ao menos
teceria claro-escuro.

Chão de tapetes e musgos
abafando passos tardos.
Altas paredes tecidas
de colgaduras com mofo.
Retratos mal-enforcados
em cordas sempre mais tensas
pendem das traves do teto
como de árvore maldita.
Passeio mal-assombrado!
Lá muito abaixo do solo
se ouviu soturno rumor
de vento soltando amarras,
de ondas raivando de espuma.

Foi o bravo prisioneiro
que com as suas próprias unhas
rompeu os diques de pedra
– e agora nega aos pulmões
a respiração do mar.

A FACE LÍVIDA

Esse despojamento
esse amargo esplendor.
Beleza em sombra
sacrifício incruento.

A mão sem joias
descarnada
na pureza das veias.
A voz por um fio
desnuda
na palavra sem gesto.

O escuro em torno
e a lucidez
violenta lucidez terrível
batida de encontro ao rosto
como uma ofensa física.

Na imensidade sem pouso,
olhos duros
de pássaro.

CONSOLAÇÃO DO AMIGO

Pelo caminho de Emaús
arrastávamos nossa angústia
quando o forasteiro chegou.

Abordou-nos o forasteiro
com gestos afáveis e simples
assim como se fosse o Amigo.

Naquele momento uma paz
de quem regressa a tempos idos
sobre nossos ombros desceu.

Ardia em nós o coração
dando-nos a certeza intensa
de que entre nós estava o Amigo.

O Amigo que na hora da mágoa
nos revela sempre a palavra
de que mais necessita o espírito.

O Amigo concentrado e lúcido
que nos serve a sabedoria
– dom de sua própria substância.

O Amigo no qual descansamos
– arbustos ao sopro do vento
apoiados no tronco da árvore.

Flui como água a sua presença
e é saborosa como vinho
na língua do viajor com sede.

É útil a sua presença
como pão guardado de véspera
– frugal e completo alimento.

Foi perfeito o encontro do Amigo:
haja sempre para o deserto
um pequeno oásis com tâmaras.

Junto do Amigo caminhamos
longo tempo de olhos fechados:
assim deve ser a confiança.

E quando o Amigo se calava
pairava entre nós um silêncio
tênue como o véu da esposada.

Claras espumas se estendiam
docemente à tona das águas.
Vinham de longe com suspiros
pelas esperas retardadas.

E era uma aurora prometida
a penumbra do céu dos lagos.
Campos se perdiam de vista
com flores recolhendo orvalho.

Oh! as secretas ressonâncias
inefáveis de alma para alma!
O Amigo em nós pelo silêncio
– silêncio das tardes de Deus –
e o pastor com suas ovelhas
apascentadas.

LAREIRA

Lareira. Fogo.
(Que noite lenta.)

Quem sente as horas?
Quem vive alheio?

Paz, aconchego.

Quem sonha mais?

– Eu perguntara:
Quantas lareiras
além?
Que corações
em Deus?
Parede-meia,
tens fogo
à esquerda?

Paz de lareira.
Não para mim.

O POÇO

Com minhas frágeis
e frias mãos
cavei um poço
no fundo do horto
da solidão.
Cavei um poço
mas bem profundo
com minhas mãos.

Pranto da terra
no exíguo poço
brotou cantando
– libertação! –
cousa de séculos
enclausurada
pelo marasmo
do torvo mundo.

Tardes e noites,
eu mais o poço
respeito mútuo
nos conservamos.
Mas frente a frente
eu mais o poço
para um amplexo
nos preparamos.

Vidas esparsas
vão se amontoando
no exíguo espaço
do poço fundo:
seixos rolados,
pedras corridas,
musgos e visgos,
de fauna e flora.

Mãos corajosas
de expor-se ao jogo
das intempéries,
dia da minha
libertação
no escrínio abscôndito
mergulharei.

ÁGUA-MARINHA

Água-marinha
fria
pedra.
Germinada no fogo.
Lúcida e secreta
do indelével
contacto.
Arrancada aos golpes
às entranhas da terra.
Pura e livre
como lágrima da terra.

Água-marinha
cor do céu.
Céu tocado
com as mãos.
Céu duro e pequeno
com brilho efêmero
de joia.

Água-marinha
sonho do mar.
Gota perdida
– de que mar?
Água-marinha
luz de mistério
inquieta, inquieta.
Água-marinha,
a vida, o mar!
Corpo sem norte,
a morte, o mar!

AS VIRGENS

As virgens loucas dormiam
sonhando perfis de heróis.
Velavam as virgens sábias
com suas lâmpadas de óleo.

– Como está longe a visita
que nos prometeu o Esposo! –
com o olhar amortecido
diziam as virgens loucas.
E as virgens sábias diziam
atentas a todo ruído:
– Talvez que chegue esta noite.

Suspiravam de desejo
as loucas: – Serão do Esposo,
força, espírito e nobreza,
os mais formosos adornos.
Calavam-se as da vigília
deitando azeite à candeia.

As sonhadoras sonhavam
carinhos mais que perfeitos.
Cuidavam-se as que eram sábias
perfumando-se os cabelos.

Quanto mais alto na torre
se viam as loucas virgens
mais no sonho se embebiam.
Sem perceberem que as outras
de há muito as levara o Esposo.

MAR DE SOMBRA

Rios pelos prados
com breves espumas,
transparentes lagos
com pedras profundas,
ai! todas as águas
vão, de tarde em tarde,
confundir-se obscuras
nesse mar de sombra.

Mar de esquecimento
com águas amargas
contagia os rios,
contagia os lagos.
Onde o doce líquido
de tênues suspiros?
Cegas se tornaram
as claras pupilas.

Mar imaginoso
de algas e sargaços
sem raiz na terra.
Mar de remembranças
com abraços torpes
inocula germes
às águas insossas.

Mar dos descaminhos
ai! quem te vencera,
quem te atravessara
nadando incorrupto
e alcançara intrépido
um golfo, uma praia!

MELANCOLIA

Água negra
negros bordes
poço negro
com flor.

Água turva
densa escuma
turvo limo
com flor.

Noite espessa
sem lanterna
espesso poço
com flor.

Sombra, corpo
de serpente
na oferenda
da flor.

Risco de morte
violenta,
árdua morte
de asfixia
veneno letal
fatal
quase que puro
suicídio
com uma
lenta
lenta
flor.

CÂNTARO

Cântaro,
um gole de água,
para a minha garganta.

Água fria, bem fria,
respingo de chuva das árvores,
cristal lunar,
neblina da madrugada.

Cântaro,
a tua pureza
e a tua suavidade.

Como podes ser puro e suave,
cântaro
– corpo de barro?

NÉVOA

Chegou a hora da névoa.
No peito e nos olhos, névoa.
Quero guardar-me da névoa
porém é inútil – há névoa.

Névoa pelos dedos, névoa
caindo ao longo dos membros.
Os cílios são pura névoa
contra a paisagem de além.

Por todos os lados, névoa,
densa névoa de montanha.
Da que se infiltra nos vales,
da que nos ossos entranha.

Da que se adelgaça e esgueira,
polida, heroica, secreta.
Névoa de agulha nos picos,
névoa das curvas estritas.

Guardar-me (é inútil) da névoa
– lâmina de aço nos pulsos.
Reter na retina a imagem
que a névoa aos poucos expulsa.

Trazer no peito em custódia
protegido contra a névoa
o cristal que a névoa turva
com bafio de violetas.

Névoa de conluios, névoa
do tempo na face exposta.
Névoa lívida de chuva
sobre a pegada dos mortos.

"CHRIST AUX OUTRAGES" DE DARDÉ

Homem de pedra
com olhos de sombra
olhando sem ver,
fogo ardendo obscuro.

Cristo de olheiras como enxutas
cavernas,
campo depois dos gafanhotos,
solar visitado
pelos violadores da noite.

Cabeça baixa
consentindo no peso descomunal
da coroa
(a coroa de mármore).

Nariz adunco
obstinado reduto
de condor na planície.

Boca semiaberta
na inconsciente procura
de não morrer ainda.

Cristo ultrajado
com quem aprendo
dia a dia
o desgosto
e a necessidade da vida.

BRASÃO

Campo de marfim,
turmalinas azuis.

Acima da exalação dos círios
e das gardênias,
o ar em cúpula, intacto.

No ambiente de pergaminhos,
vício e mofo,
cantar e voo de pássaros
invisíveis.

Marfim – caveira de sempre,
azul – mundo irrealizado.

ELEGIA

A princípio os mortos
eram dois ou três.
Não mortos, sombras:
um velho, uma criança,
mais alguém talvez.

Tranquilos corpos
sob umas lápides.
Em cima e em torno
flores e pássaros.

Os mortos pertenciam à morte
como as pedras e as plantas
a seus reinos.

Com isso aos poucos
foi crescendo o número.
De várias pessoas
quedavam lacunas.

E também, para os lazeres,
vinham vestidos de luto,
confidências, soluços,
delicados bocejos.

Nesse tempo a morte
pertencia ao cotidiano.

Foi então que o raio
caiu sobre o cedro.
Seiva da minha seiva
corria dentro do cedro.
Carne de cera fria
com minhas mãos toquei.

Olhos neutros de vidro
com meus próprios olhos vi.

Que noite, que tempestade,
que impetuosos aquilões,
ai! que torrente dos vales,
que babel com seus dilúvios,
que bando de salteadores,
com que espadas, com que foices,
com que brutais extorsões,
que abutres ávidos, ávidos,
e com que garras aduncas,
que nuvem de gafanhotos
e com que bocas hediondas
se haviam juntado acaso
nesse campo devastado?...

Náusea, horror, despojamento,
primeiro corpo sem brio!

De então a vida
pertence à morte.

De então na lua
se acendem verdes
círios diluentes
sobre marfim.

De então nas curvas
das cordilheiras
surpreendo os mortos
nos seus espasmos.

De então na mesa
tenho-os presentes:
cada conviva
com seu silêncio.

De então nas ruas
caminham soltos.
E tocam flautas
uns pelos outros.

Esse da esquina
de amplas espáduas
vede: está morto.
Porém não sabe.

Mas já na sombra
secretos dedos
preparam certo
ramo de goivos.

A FACE LÍVIDA

De súbito cessou a vida.
Foram simples palavras breves.
Tudo continuou como estava.

O mesmo teto, o mesmo vento,
o mesmo espaço, os mesmos gestos.
Porém como que eternizados.

Unção, calor, surpresa, risos,
tudo eram chapas fotográficas
há muito tempo reveladas.

Todas as cousas tinham sido
e se mantinham sem reserva
numa sucessão automática.

Passos caminhavam no assoalho,
talheres batiam nos dentes,
janelas se abriam, fechavam.

Vinham noites e vinham luas,
madrugadas com sino e chuva.
Sapatos iam na enxurrada.

Meninas chegavam gritando.
Nasciam flores de esmeralda
no asfalto! mas sem esperança.

Jornais prometiam com zelo
em grandes tópicos vermelhos
o fim de uma guerra. Guerra?...

Os que não sabiam falavam.
Quem não sentia tinha o pranto.
(O pranto era ainda o recurso
de velhas cousas coniventes.)

Nem o menor sinal de vida.
Tão só no fundo espelho a face
lívida, a face lívida.

FLOR DA MORTE (1945-1949)

FLOR DA MORTE

I

De madrugada escuto: há um estalo de brotos,
de luz atingindo caules.
Difere do rumor da chuva nas lisas pedras,
difere do suspiro do vento nas grades.
É como se a alma se desprendesse da matéria.
Borboleta que deixa o casulo e se debate
contra finas hastes de ferro.

Nos dédalos da noite se encontra,
em atmosfera tíbia de reposteiros
e caçoulas com vacilantes chamas azuis,
teu momento de êxtase e de holocausto, ó libélula!
Mãos que se procuram com desespero, pacto
entre o vivo e o morto, misterioso e rápido
signo de tempestade no espelho.

Nos caminhos sob a lua, ao ar livre, sinuosa
insinuação de víbora na relva,
há uma proximidade de flor e abismo,
com vertigem cerceando espessa os sentidos.
Flor desejada e temida, promessa do eterno
de que alguém desvenda o segredo – a estas horas.

II

Flor. A inacessível.
Do caos, da escarpa, da salsugem,
da luxúria dos vermes, das gavetas
do asco, do cuspo, da vergonha.

Flor. A inefável.
A companheira do anjo.

A que não foi rorejada de lágrimas.
A que não tocou sequer o bafejo da aurora.
A que habita acima das nuvens
– por sobre abismos projetada!

Não sopra o vento nestas silentes plagas.
Ainda a luz não se fez, apenas
paira acordado o Espírito
na soleira de grandes nódoas lácteas.

E há corcéis, há corcéis de fogo rompendo o horizonte,
há barcos velozes impelindo as ondas do tempo,
há machados forçando a madeira,
escaramuças, estertores e sangue,
árdido sangue – pela Flor.

Flor da Morte, salva das águas,
de corruptas sementes nutrida,
única forma de ser,
eterna,
renascendo inicial, desde sempre
nas mãos de Deus – fechada.

O VÉU

Os mortos estão deitados
e têm sobre o rosto um véu.
Um tênue véu sobre o rosto.

Nenhuma força os protege
senão esse véu no rosto.
Nenhuma ponte os separa
dos vivos, nenhum sinal
os distingue mais que o véu
baixado ao longo do rosto.

O véu modela o perfil
(filigranas de medalha),
acompanha o arco dos olhos,
sobe na asa do nariz,
cola-se aos lábios. O morto
respira por sob o véu.
(Também os vales respiram
amoldados à neblina.)

E através do véu a aragem
de um sorriso treme, prestes
a dar à luz um segredo.

Um véu como os outros, tênue,
guarda o segredo dos mortos.
Nada mais do que um véu.

Reminiscência de outros véus,
de outras verônicas, de outras
máscaras. Símbolo, estigma.

Dos inumeráveis véus
que os vivos rompem ou aceitam,
resta para o morto, apenas,
um véu aderido ao rosto.
Entre a vida e a morte, um véu.
Nada mais do que um véu.

O MISTÉRIO

Na morte, não. Na vida.
Está na vida o mistério.
Em cada afirmação ou
abstinência.
Na malícia
das plausíveis revelações,
no suborno
das silenciosas palavras.

Tu que estás morto
esgotaste o mistério.

Ora a distância perseguias,
ora recuavas.
Era o apogeu ou o nirvana
que tateando buscavas?

Ah! talvez fosse a morte.

Não se sabia quando vinhas
nem quando partias. Eras
o Esperado e o Inesperado.

Grandes navios viajavas
com a mesma estranha gratuidade
com que ao planalto descias
por uma escada de nuvens.
Belo de inconstância e arrojo
com teu lastro de intuições,
a um apelo da noite
todo te entregavas, trêmulo
entre carícias e tempestades.

Que mundo vinha nascendo?

Ah! talvez fosse a morte.

Conheceste os suspiros,
o lento disfarce do sangue,
as rosas do espírito, as secas
rosas nos dedos trituradas.

Por uma solução ansiavas...

Ah! talvez fosse a morte.

Agora estás poderoso
de indiferença, de equilíbrio.
Completo em ti mesmo, forro
de seduções e amarras.
Nada te açula ou tolhe.
És todo e és um, apenas.
A plenitude da água,
da pedra, tens.
E és natural, és puro, és simples como
a água, a pedra.

DIANTE DA MORTE

Diante da morte não sou de água
nem sou de vento, mas de pedra.
Órbitas frígidas de estátua,
boca cerrada de quem nega.

Rudes cadeias me restringem,
corda entrançada no pescoço,
fosco cilício em torno aos rins,
ossos fundidos uns nos outros.

Diante da morte sou espessa
rocha de oceano – desconheço
que espécie de onda ou mar se atira
contra meu peito empedernido.

Se eu fosse ao menos como o bronze
ressoante, ou como a estrela infiel,
rompera as linhas do horizonte,
despedaçara-me em reflexos.

Flocos de espuma, tenras nuvens
descendo o rio, voando na alba,
dulçor aéreo dos dilúculos,
azul, fluidez, vago lunar,

levai-me fora de meus âmbitos,
amortecei-me com propícios
bálsamos, óleos e suspiros,
até a aparição da lágrima.

ACALANTO DO MORTO

Em seio propício
dorme.
De olhos sob musgo,
boca descarnada
e ouvidos de pedra,
dorme.

Nas veias da noite,
na maior distância
dos mares, nas ilhas
onde nunca aportam
navios, nem chegam
aragens da terra,
dorme, dorme.
Não sintas, não ouças
o alarido enorme
que sacode as praias.

Com violência de hordas
tua morte avança.
Dorme, dorme, dorme,
para que não vejas
esta sombra informe
crescendo dos vales,
subindo com as águas,
nivelando abismos.
Próximo dilúvio,
perdida palmeira!

Só a morte existe,
só a morte vive,
com cem braços móveis,
com cem braços fixos,
com palavras quentes
e frios delíquios,

ciprestes fugindo
para a lua – a morte! –
com vagares, com
propostas e enigmas
de fera na jaula.

Golpe de relâmpago
entre a flor e o caule.
Restam do outro estágio
sentinelas mudas
protegendo os mortos
com manejos próprios
de cegar os vivos.
Nada se aproxima
de onde estás, perfeito.
Ninguém se aproxime
de teu puro leito.
Dorme, dorme.

Tudo está conforme
desígnios precisos.
Viverá comigo
tua morte. Dorme.
Guardarei impávida
tua morte. Dorme.
Tua morte é minha,
não a sofras. Dorme
Dorme.
Dorme.

O CORTEJO

Para a passagem do cortejo da morte
é que se fez a noite
com suas tempestades lúridas
e seus cabelos desnastrados.

Os cavalos da morte são negros,
poderosos e negros mais que a noite
de relâmpagos e ventos repleta.

Cristalizam-se as águas
para a passagem do cortejo da morte.
Os rios transformam-se em pistas de gelo,
mares e lagos são tablados de musgo e areia.

Os cavalos da morte são possantes,
pesados e claros
como a força das águas descendo a montanha.

Nivelam-se colinas e vales
à passagem do cortejo da morte.
Tudo são planícies abertas.
Deitam-se na relva as árvores
acariciando as patas que as flagelam.

Os cavalos da morte são ágeis
e traiçoeiros como as serpentes do bosque.

Devassam-se as furnas, as cavernas
seus tesouros expõem,
searas em flor, subitamente
cessam de sonhar: marcou-as
o destino dos pastos.

Os cavalos da morte são hediondos
e lúbricos
na sua fome de eternidade.

Os cavalos da morte, quem os nutre,
senão os próprios viajores arrebatados?!

A PAISAGEM DO MORTO

A paisagem do morto é sem limites.
Desdobra-se por vales e montes.
Vales de paina sob o torpor do crepúsculo,
montes de pouca elevação.

Há papoulas florindo e murchando
ao longo dos vales – que dormem.
O rio flui desconhecendo o cadáver
de suas próprias águas mortas.

Sobre as coxilhas sedativas, fofas
de grama eterna, pascem bois.
Bois vagarentos, ruminando.

À paisagem do morto nada falta
de cômodo.

A paisagem do morto é insípida.

EVANESCENTE

Pouca diferença entre a vida
e a morte da que exalou
seu último suspiro – adejo
de borboleta rompendo a larva.

Sem perfume – camélia estática –
ao abrigo dos ventos, a furto
se desenhava contra o muro.

Sobre as ondas caminharia
sem alvoroço nem surpresa
– como a espuma.

O fio intérmino das horas
mal retinha entre os dedos
de fuso.

Uma abelha zumbia contínua
nos seus ouvidos.
E era tudo.

Se algum dia se contemplou ao espelho
foi hoje:
para não ofuscá-lo com o próprio
sopro.

OFÉLIA

Um rio longo, verde-escuro
sustém o corpo de Ofélia.
Longos cabelos emolduram
a forma branca, esquiva e débil
suspensa ao balanço da água.
Por entre espumas e sargaços
desabrocha o rosto de nácar.
Agora o busto de onda se ergue,
resvala o fino tronco, os membros
esvaem-se trêmulos, trêmulos.

Debruço-me sobre o rio
para salvá-la. E então me perco.
Meus olhos já não podem vê-la
nublados de bolhas e liquens.
Meus braços não mais a alcançam
hirtos do pavor da morte.

Ofélia, serena, dorme.
E sonha. Nas praias últimas
um anjo lhe enxuga as tranças.
Um anjo a recolhe e adverte
da inanidade de tudo.

E enquanto se eterniza Ofélia,
para Ofélia desapareço.

RESIDÊNCIA DO MORTO

Baixar ou subir
para a residência do morto?

Não há letreiro, não há número.

Um quadrilátero, dizeis, de mármore
com anjos dúbios, à direita?

Bem se vê que não conheceis o morto.

É possível que tenha escolhido o mais fundo oceano
para nadar, toda manhã, com os peixes menores.

Talvez a estas horas esteja suspenso na estratosfera,
puxando fios para a comunicação dos astros.

Baixar ou subir
com a Flauta Mágica de Mozart?

TRÂNSITO

Anêmona? De nata.
Flor nascida
ao pé da morte – tranquila.

Flor no túmulo.

Entre a aura crepuscular e o frio
da lousa, perfuma
e oscila.

Com olhos de orvalho
fixos
na suspensa abóbada,
à noite, em plena
solidão,
cintila.

Quando a alba a envolve
espessa
de carícia com bruma,
em delicado e súbito
calafrio,
sem nenhuma
queixa,
expira.

É UMA CRIANÇA

Por que tantos soluços?
É uma criança. Brincou
e adormeceu.
Os anjos estão presentes
(não soluceis)
com delicados pés de lã
e asas de neve.

Que tragam flores outras crianças.

Nada mais lindo que uma pálida
criança adormecida entre flores.
E, enquanto os anjos dedilham
cítaras de ouro, suavíssimas,
as outras crianças em torno
da que repousa, dancem.

Dancem com flexibilidade de junco
à beira do rio. Dancem
com inocência de borboletas
à entrada do bosque. Dancem
com leveza de zéfiro
levantando cortinas.

Dancem com os cabelos livres
e os tenros braços no alto
em forma de foice. Ou de arco.
(A foice para ceifar espigas,
o arco para protegê-las.)

Dancem de modo tão perfeito
(nos lábios coral e pérola)

que a criança dormida sonhe
e murmure consigo: a morte,
como é bela.

SOFRIMENTO

No oceano integra-se (bem pouco)
uma pedra de sal.

Ficou o espírito, mais livre
que o corpo.

A música, muito além
do instrumento.

Da alavanca,
sua razão de ser: o impulso.

Ficou o selo, o remate
da obra.

A luz que sobrevive à estrela
e é sua coroa.

O maravilhoso. O imortal.

O que se perdeu foi pouco.

Mas era o que eu mais amava.

TUA MEMÓRIA

Tua memória é um cubo
de cristal.
Tomo-a nos dedos, sob os olhos,
límpida, enxuta,
limitada, nítida.

Éter, brasa em conserva,
gelo, joia sem uso,
líquido em bojo, malva
pelo espelho, serôdia,
lua talhada
de ângulos.

Face por face,
toco-a,
examino-a.
Alfinetes irrompem
aqui e ali
riscando luz, retidos
pelas paredes.
Intermitentes focos
em circuito,
surdo relógio
repetindo-se.

Ah, o ardor que não flui!

Dádiva e aresta.

RESTAURADORA

A morte é limpa.
Cruel mas limpa.

Com seus aventais de linho
– fâmula – esfrega as vidraças.

Tem punhos ágeis e esponjas.
Abre as janelas, o ar precipita-se
inaugural para dentro das salas.
Havia impressões digitais nos móveis,
grãos de poeira no interstício das fechaduras.

Porém tudo voltou a ser como antes da carne
e sua desordem.

COMUNHÃO

Ângulos e curvas se ajustam
formando um volume, um todo:
somos uma cousa única,
eu e a lembrança do morto.

Nada de excêntrico ou de incerto
para a alma nem para o corpo:
união natural e completa
como a de líquidos num copo.

A solidão perdeu aos poucos
a rispidez. E foi a chave.
Eu e a lembrança do morto
em comum, temos vida própria
– não excessivamente grave.

O SALTIMBANCO

Brinca com a morte o saltimbanco.
Que morte? A de soltos cabelos
e corpo elástico de onda,
gêmea, esposa, parelha?

Será morte igual à outra,
esta com que o saltimbanco
brinca, nos fios arisco,
dançante na bicicleta,
no galope do ar com flores
vencendo de um salto a abóbada?

Será outra, acaso fúlgida
como os acenos da turba
enlouquecida de vinhos
em cascatas despenhando-se
pelas montanhas da aurora?
Será mais bela que a vida
a morte do saltimbanco
– Ofélia sorrindo n'água
com fascínio de amante
e seios deliquescentes?

Ah! o saltimbanco brinca:
lírio em voo de núpcias.

VEM, DOCE MORTE

Vem, doce morte. Quando queiras.
Ao crepúsculo, no instante em que as nuvens
desfiam pálidos casulos
e o suspiro das árvores – secreto –
não é senão prenúncio
de um delicado acontecimento.

Quando queiras. Ao meio-dia, súbito
espetáculo deslumbrante e inédito
de rubros panoramas abertos
ao sol, ao mar, aos montes, às planícies
com celeiros refertos e intocados.

Quando queiras. Presentes as estrelas
ou já esquivas, na madrugada
com pássaros despertos, à hora
em que os campos recolhem as sementes
e os cristais endurecem de frio.

Tenho o corpo tão leve (quando queiras)
que a teu primeiro sopro cederei distraída
como um pensamento cortado
pela visão da lua
em que acaso – mais alto – refloresça.

RETORNO

Pela morte voltou a ser criança.
Aqui nos bancos da escola esteve.
Que tenras faces e vivos olhos!
Como aprendia rápido! Peixe
nadando. Em praias
aureoladas de verdes coqueiros
mergulhava. E suas mãos e seus pés
eram de tarlatana vibrante,
sol dissolvido e sal.

A atmosfera do adolescente
foi de clorofórmio com frascos
de multicores líquidos faiscantes.
Havia – os de rubi, violentos, de topázio e safira.

Fugindo à espátula, entre a espátula e o mármore,
escorregava o mercúrio
célere, em trêmulas gotas de lua.
Rótulos em boiões com brancos pós
montavam guarda à tranquilidade da província.

Brincou mais tarde com umas crianças menores.
Abelha-mestra dirigindo a colmeia.
Cabeça a transbordar de experiência,
mãos sabedoras de mágicas,
lépidas no fabrico e manejo de balões
com que aquecia as noites de junho.
Era um pequeno gnomo com alvíssaras.
E de repente impunha respeito.

As cãs o encontraram jovial.
Dialogava com o passarinho da gaiola
quando, sem tempo de queixa, morreu.

Assim o quis o alcantilado espírito
com que sorria de leve ao cotidiano.
E este sorriso, que conservou diante das trevas,
foi como o de Davi perante Golias.

É ESTRANHO

É estranho que, após o pranto
vertido em rios sobre os mares,
venha pousar-te no ombro
o pássaro das ilhas, ó náufrago.

É estranho que, depois das trevas
semeadas por sobre as valas,
teus sentidos se adelgacem
diante das clareiras, ó cego.

É estranho que, depois de morto,
rompidos os esteios da alma
e descaminhado o corpo,
homem, tenhas reino mais alto.

NA MORTE

Na morte nos encontraremos.
Sim, na morte.
Tempo de consórcio e de vínculo.

Depois de caminhos extremos.
Quer pelo sul ou pelo norte.

Ao término de circunstâncias:
passos certeiros ou perdidos.

Sem palavras nem sentimentos.
Com simplicidade suprema.

Na morte nos encontraremos.
Remoinhos de água em torno às ilhas
suspensos na mesma quietude.

Fria resistência de rocha
absorvida pelas espumas.

Na morte nos encontraremos.
Na morte.
Terra de conquista do sangue.

Braços um dia decepados
voltando ao torso a que pertencem.

Fios cortados ao nascer
no reajustamento dos nós.

Na morte nos encontraremos.
Na morte, sim.
Toque de recolher em círculo.

SILÊNCIO DA MORTE

Silêncio da morte, perfeito
como uma flor e seu cálice.
Nudez de céu de ponta a ponta
azul sem mácula.
Neve por toda a eternidade
consumada nos píncaros.

Silêncio da morte, campo
de ópio. Adormecedor
balanço entre margens.
Anjos que se debruçam e alçam,
confundindo-se com os turíbulos.
Contemplação beatífica
de ciprestes. Gozo
do vácuo.

Silêncio da morte, pavor
das furnas. Trágica escassez
de cinzas. Fera
de olhos oblíquos espreitando
a ampulheta.

Impossível recuo. Tempo máximo.
Salto de corpo ao mar,
urgente, urgente mar
sobre a presa, fechando-se.

ELEGIA DE WALLACE

Não voltou. Nem é crível
que haja olvidado a família, a casa,
o espelho grande da sala
em que ao partir se contemplou no adeus.
Porém que imagem terá guardado, se essa,
a de seus dezessete anos, se ofusca?

É tão fácil
cortar o céu com filigranas de prata!
com dezessete rosas no sangue
sobrevoar o infinito!

                                        No entanto,
sob o peso da terra alguém
– tão leve era o seu corpo no ar! –
por uma eternidade triste sonha,
não mais com os aviões da morte mas com as rosas
da vida – que não sabe onde colher.

Porém as rosas... Não importa colhê-las
do além, onde as cousas se ferem
à exiguidade dos nossos prismas.
E onde é mister abrir uma por uma,
com dedos inábeis, embora,
densas e sucessivas cortinas
para a lucilação primeira.

Haverá rosas, possivelmente,
de mais alta estirpe e outros nimbos
a cada instante nascendo e renascendo
(de que maravilhosos contactos?)
em algum mundo ulterior aos sentidos.

Rosas estranhas, ainda mais puras
de seiva, desenho e aroma,
para o que cedo partido do tempo
e de suas dissipações a salvo,
como tributo leva o que é propício
a auroras: o orvalho em bruma,
a lágrima dentro de sua concha.

A ILHA DOS MORTOS

Não nos precipitemos. Passo a passo.
A caminhada é longa e insegura.
Tomemos um barco, sim, um barco.
Ficarão na praia nossas bagagens com joias.
Ao vento lancemos os mantos inúteis e as livres madeixas.

À terra, entreguemos o corpo
(oh! a esbelteza dos corpos alijados do próprio peso!)
a fim de que a água densa e uniforme
nos arrecade e conduza.

Nenhuma estrela aparecerá, por certo, no decurso da noite.
Morreram conosco as estrelas: as que amávamos
e as que nem sequer pressentimos.

Talvez pendente da abóbada
uma lanterna oscile, com fósforos.
Ou serão olhos perscrutadores
para melhor devassar-nos a entranha?

Acercai-vos, os de mais longe, para a mútua defesa.
Somos incontáveis, e ai! estamos trêmulos
como o arbusto isolado no outeiro à passagem do vendaval.

E esse murmúrio de água profunda, escutais?
Com borbulhas de alga, com balanço de espumas.
Nênias à lua, violoncelos de outrora,
reminiscências de soluço e de beijo, extingui-vos!
O coração precisa de paz.

Porém os gongos terríficos, os tambores e os búzios,
as trombetas que soam!
Que gesto reinventaremos para tapar os ouvidos?
Que fazer contra o lento envolvedouro do anjo das trevas?
Como não sucumbir à majestade do eterno?

Mas os sentidos ainda percebem algo;
essa aragem que vem da floresta próxima,
esse acre perfume verde-musgo que vem da floresta
na qual nossas sombras mergulharão pedindo paz,
ah! talvez seja melhor que a paz,
a paz em círculo fechado, a paz!...

INTERMEZZO

Do mar escuso da morte
para moradas mais livres.

Não me faleis de resíduos
nem de enredos pelas grotas.

Dai-me violinos e pianos
pelo sem-fim deslizando.

Das cores da tarde o leve
tom de cinza, cinza-pérola.

Das flores a rosa branca
descansada sobre o mármore.

CLAREIRA

Quantos bosques, ai!
que moitas dormidas,
que verde-musgo,
que alcatifas
e que doces crepúsculos,
por uma clareira
darei!
Por uma simples clareira
à espera da aurora polar.
Pedaço de céu
antes do nascimento da brisa.
Água primeira sem nenhum
reflexo.
Pedra sem sinal
dos tempos.
Chão sem raízes,
intocado.
Manancial de onde as cousas
surgissem
sem ofego e com ritmo
– nuas, claras.

Para a descoberta seria necessário
um anjo.
Para o anjo bastaria um clarim,
uma nota.

CANÇÃO

Ai, pássaro!
com que argúcia,
com que graça
nas fímbrias.

Pelos ares,
pelos fios,
pelas agruras
das pedras.

Célere, súbito
pássaro
sobre as ondas,
pelos vidros.
Pelos abismos
abaixo
deixando verdes
estrias,
como o zéfiro no campo
das espigas.

Lua, suspiro de
lua,
pouso de soslaio
a susto,
nas areias, entre orlas.

Bater de pálpebras,
dúbio
laço tênue, desenlace
segundo as nuanças
do arco-íris.

Ai, pássaro!
Ai, amor
encontrado e perdido!

SANT'ANA DOS OLHOS D'ÁGUA

Sant'Ana dos olhos d'água
tem razão para chorar.
A terra é um vale de lágrimas,
Sant'Ana dos olhos d'água.

Poças d'água, muita chuva,
rios, lagos, noites úmidas.

Bosques escorrendo orvalho,
frias auroras molhadas.

Cachoeiras vivas do pranto
pelas escarpas rolando.

Lívido estuário de areias
dizendo adeus aos veleiros.

Pontes onde se encontraram
os corpos tristes dos náufragos.

Ondas fugindo com as ondas,
flores expostas à lama.

Sant'Ana dos olhos d'água,
nunca chorais demasiado.

NOSSA SENHORA DA PEDRA FRIA

Nossa Senhora
da Pedra Fria.
Resvaladiço
flanco de lua.
Pingo de pérola,
perfil.
Nossa Senhora
fria, fria.
Lâmina e escudo.

Nossa Senhora,
pelas camélias
sem mácula!

Morte angulosa,
gume de prata.
No adro noturno
caules delgados.
Ai! navalhadas
cortando as carnes.
Nossa Senhora
não escuta.

Pérgola de ilha
sob a chuva.
Membros gelados,
orquídea ou pássaro
outrora, linho
verde, escorrido
de madrugada.
Outeiro sem
torre ou campânula.
Nossa Senhora
da campa.

Nossa Senhora,
quantas salvas
níveas, de lago,
por uma lágrima!

ESTA É A GRAÇA

Esta é a graça dos pássaros:
cantam enquanto esperam.
E nem ao menos sabem o que esperam.

Será porventura a morte, o amor?
Talvez a noite com uma nova estrela,
a pátina de ouro do tempo,
alguma cousa de precário
assim como para o soldado a paz?

Com grave mistério de reposteiros
um augúrio dimana, incessante,
do marulho das fontes sob pedras,
do bulício das samambaias no horto.

No ladrido dos cães à vista da lua,
acima do desejo e da fome,
pervaga um longo desespero
em busca de tangente inefável.

O mesmo silêncio da madrugada
prenuncia, sem dúvida, um evento
que já não é o grito da aurora
ao macular de sangue a túnica.

E minha voz perdura neste concerto
com a vibração e o temor de um violino
pronto a estalar, em holocausto,
as próprias cordas – demasiado tensas.

ACIDENTE

Quebra-se o púcaro de fino
cristal vibrante contra lájea:
restam avelórios feridos.

Do vento escuto o balbucio
por entre os galhos das árvores.
Percebo-lhe o timbre, o ritmo.
Porém não as palavras:
interceptadas, interceptadas.

PASSARINHO

Passarinho não canta,
passarinho não come,
passarinho não bebe.

Passarinho anda triste.

O que foi, passarinho?
Mudas as penas, tens febre?
Não te dou alface, alpiste,
água clara? O companheiro?...

Passarinho quieto, quieto,
nas próprias asas se esconde.

O companheiro levou-te
a voz, a garganta, o bico?

Enterraram-se com ele
no lodo negro as escalas
aéreas de trampolim,
as teclas, o arco, o violino
e o piano de tua música?

Era dele que te vinha
a auréola, o entono, o donaire
com que a cabecinha erguias
a esfuziar azougue, prata
líquida, com volutas
e arabescos de medalha?

Era dele que te vinha
o frêmito de ouro, o gozo
de joia, pérola a pérola
no aveludado dos trinos?

O arrepio de carícia
longo, fino, contagioso
de lua, de cisnes, de água
descendo, em fio, a colina?

Era dele que te vinha
tudo isto, o sol, as estrelas,
o brilho do canto, as quentes
auroras na areia, ao vento
as espigas ondulando,
musgos nascendo nas pedras,
campos abertos, batidos
de lavoura, nas soalheiras?

Era dele que te vinha
aquele vinho furtivo
na espessura da folhagem,
verde-jalde chuva, arco-íris
de paina tênue, delícia
de malvas brotando, sombra
de cílios no rosto, espera
do que vem trêmulo e próximo?...

Passarinho quieto, quieto.

O GARÇO

Terás, ó Parca, os olhos garços
como certa luz prematura
vinda à flor das ondas, como
certas folhas desprendidas
em vez de outras?

O garço é uma cor ilusória
em cujo encalço há dissolvência.
A estrela que oscila deixa
frestas de escuro na escassa
franja de lucilação.

E é garço o vinho das veias
que a morte lentamente absorve
para que a superfície do Estígio
seja um vago espelho enorme...

A CAUDAL NO ESCURO

Piso a relva e sinto
a caudal no escuro.
A relva a meu peso
cede, como espuma.

Tracei meu caminho,
meus passos são nítidos
(a caudal no escuro).

Nas sinuosas margens
já não há limites
entre águas profusas
e terras caídas.

Tenho olhos acesos
como luminárias
(a caudal no escuro).

Arfa o lento monstro
com mastros e velas
navegando tétrico
ao sabor das ondas.

Mole de possantes
garras, não me atinges.

Desce um calafrio
ao longo da espinha:

Das galeras frias
os antepassados
gargalham à lua
(a caudal no escuro).

Grita aguda uma ave
à aurora que tarda.

Avatar, loucura,
não sei. Caminhamos
ombro a ombro, afeitas
a lutas felinas:
eu, clarividente,
a caudal no escuro.

Presságio, fascínio,
sangue de milênios,
a caudal no escuro.

JAULAS

De uma para outra jaula.

Com farrapos ou plumas,
cerceando balbucios ou vascas,
é o berço minúscula
jaula.

A cela, a varanda, a casa,
o jardim, a cidade,
com seus itens e suas parlendas,
são enredos – de vime ou ferro –
de uma próspera
jaula.

O alto céu
disposto em toldo, tombando
sobre os flancos da terra,
é uma vistosa
jaula.
Com seus planetas e suas lunetas
assestadas.

Também o cérebro: de si próprio
arquiteto e
jaula:
cego além dos relâmpagos.

SINAL

Sinal de loucura. Sinal dos tempos.
Sinal, apenas.

Perdido nas nuvens e nas areias.
Sacudido pelo vento nos galhos.
Jogado de uma para outra estrela.
Todavia perfeito.

Nada mais que sinal. Interrogação, reticência.
Flâmula branca, verde fulgor, olheiras turvas.
Vagaria sem rumo, sem roteiro.
Pelo infinito, pelos séculos.
Na treva deixando rastros de sangue.
Contra a luz o perfil das sombras marcando.
Todavia secreto.

Nada mais que sinal. Velariam por ele
os deuses, os heróis, os sábios.
Fim de mundo, prenúncio de amor
acaso na órbita encerrara.
As multidões o fitariam perplexas
do outro lado do oceano.
Todavia – dragão de caverna –
pusilânime.

FRAGILIDADE

À tona das águas
uma flor se abriu.
Por neblinas e halos
na espuma do vício.

A flor com seu caule
trêmulo no lodo.
Ignora se acaso
algo existe em torno.

Pétalas de estilo
mostra como se asas
fossem sobre o abismo
que a circunda e enlaça

com reflexos de ouro
e opala e ternuras
no aconchego morno
das entranhas fundas.

Entre a flor e o limo
são pequenas pérolas
e contactos finos
que mal se percebem.

Como atrai à flor
que, apenas tocada
de desejo, sonha
pela madrugada
no ambiente propício
de perfume e nódoas,

o vago prenúncio
do perigo próximo.

PERSPECTIVA

Exercício de paciência
nos esconsos.
Já se viu tamanho arcano
gota a gota!

Cegueira tece uma rede
que não acaba.
Muitas mãos, até que o tempo
amadureça, juntando
fio a outro fio.

Conquista de palmo a palmo
com cem anos
de lastro.
Sombra se desdobra
em sombra
a cada vencido
passo.

Passo vencido não conta
e exercício de paciência
não se esgota.

Das subterrâneas jazidas
suspira fundo
o mistério.
Volição por onde queira
à solapa na espessura
vai abrindo seus
túneis.

Vida de mordaças, férrea
vida de masmorras, bronzes.

Vida nas sagradas
fontes
para depois – o que
vier.

MATURIDADE

Maturidade, sinto-te na polpa
dos dedos: abundante e macia.
Saturada de sábias,
doce-amargas amêndoas.

És o tálamo para a morte,
o velame no porto.

Sob teu musgo, a pedra.

O silêncio em teu seio é prata
a sofrer o lavor
minucioso do tempo.

À tua sombra de pomar
ressoam passos do eterno
entre folhas: do eterno.

Ó pesado momento,
ó bojo cálido!

PÁSSARO DE FOGO

A princípio o voo
foi baixo,
acaso tímido.
Com grande silêncio em torno.
As asas batiam,
batiam e fechavam-se
rascantes
– tuas asas e garras! –
contra a espessura do vergel.

Já pela relva
tombavam
sob teu hálito – violentos,
os frutos primeiros.

Contra as altas paredes
nem sequer investiste.

De súbito,
pelos flancos,
incendiaste a montanha.

De súbito cavalgavas o espaço
equilibrando-te
– aura e domínio –
entre o horizonte e a abóbada.

Contra o verde e o azul,
de tua sombra vinha sangue.
(Sob teus auspícios,
contra o ferro, a madeira e a crosta endurecida
da terra,
multiplicavam-se enxadas, foices e malhos.)

Clima de estranho sortilégio
com címbalos, flâmulas e ouro líquido
de outros planetas.

Era um canto, uma dança, um voo,
o exercício da liberdade,
era porventura a descoberta
do espírito?

Pássaro, pássaro de fogo!

Olhos que te viram cegaram
para ver-te melhor!

AS COLEÇÕES

Em primeiro lugar as magnólias.
Com seus cálices
e corolas: aquarela
de todas as tonalidades e suma
delicadeza de toque.
Pequena aurora diluída
com doçura – nos tanques.

Depois a música: frêmito
e susto de pássaro.
As valsas – que sorrateiras. E as flautas.
As noites com flauta sob a janela
inaugurando a lua nascida
para o suspirado amor.

Mais tarde os campos, as grutas,
a maravilha. E o caos.
Com seus favos e suas hidras,
o mundo. O mar com seus apelos,
horizontes para o éter
desespero em mergulho.

Com o tempo, o ocaso. As lentas
plumas, os reposteiros
com seus moucos ouvidos,
a tíbia madeira para
o resguardo das cinzas,
as entabulações – e com que recuos – da paz.

Finalmente os endurecidos espelhos,
os cristais sob o quebra-luz,
dos ângulos o verniz,
o ouro com parcimônia, a prata,
o marfim com seus esqueletos.

ROSA PRÍNCIPE NEGRO

Rosa Príncipe Negro, sepultada
nos tempos. De que mundo
ressurges
– ônix, ébano e púrpura?

Que anjos de moura estirpe resguardaram
tuas formas no escuro?
Que Saara adensou
tua seiva?
Que coluna susteve
teu longo talhe débil contra os ventos,
para que teu resplendor de súmula
fosse – ancestral – de treva ao sol?

Vens de alquimias sábias, de raros
processos, de lutulência e rubis.

Entre duas tangentes, desespero
e êxtase, assomas.
Com teus veludos
à soleira da morte.

Decantou-te não sei que oráculo.
Da quinta-essência
para o breve declínio.

MADRINHA LUA (1941-1946)

ROMANCE DO ALEIJADINHO

Antônio Francisco Lisboa
no catre de paralítico.
Antônio Francisco Lisboa
está nos últimos dias.

– Sobre meu corpo, ó Senhor,
põe teus divinos pés.
Ao penitente perdoa
ira, luxúria e soberba.

Os grossos lábios murmuram
secos, gretados de terra.
Tateiam os olhos cegos
as moedas falsas da luz.
Estende os braços, estende-os,
não tem mãos para sentir
a carnadura de estrelas
de sua pedra vencida.
E anseia substâncias plásticas
sob dedos renascidos.

– Mais que volutas, rosáceas,
mais do que as flamas e as curvas
flexuosas dos meus delírios,
em segredo amei as virgens
de leves túnicas brancas,
formas essenciais do sonho
que fez de meu corpo uma alma.
E mais do que os rijos músculos
desses guerreiros que atroam
nuvens e ares com trombetas,
amei a graça e a doçura
dos anjos, dos ruflos de asas,
a delicadeza em flor
das crianças que não me amaram.

Queda um momento perplexo:
de um lado o mar infinito
de vagas que se desdobram,
verdes, verdes, sempre verdes,
e os seus passos firmes de homem
caminhando, caminhando
sobre as ondas caminhando.

À esquerda a floresta, o abismo:
fulvas serpentes se enroscam
nos troncos dóceis dos cedros
atravancando a passagem.
E recorda as vezes tantas
em que seus pés se enredaram.

– Filtros, filtros de cardina,
filtros, prodigiosos filtros!
Do catre imundo e revolto
Joana Lopes se aproxima:
– Que queres tu, Pai Antônio?

– Para onde foi teu marido,
filho ingrato que gerei?
– O mundo levou teu filho
mas uma filha te deu.

– Januário, onde está Januário?
É meu escravo ou não é?
– Januário de tantas mágoas
descansa no cemitério.

– Ganhei dinheiro às carradas
e minha arca está vazia.
– Eras amigo dos pobres,
são pobres os teus amigos.

– Quero a Bíblia, a minha Bíblia!

Mãos compassivas depõem
no peito coberto de úlceras,
restos do sagrado livro.
– Sobre meu corpo, ó Senhor,
põe teus divinos pés.

O moribundo sem força
move os lábios num sussurro.

E da distância dos séculos
anjos e virgens o escutam.

HISTÓRIA DE CHICO REI

Nos tempos da escravidão
Francisco Rei Africano
aprisionado e vendido
com sua família e tribo.

Na travessia do Atlântico
forte como um rei, Francisco
perde a esposa, perde os filhos
quase todos, menos um.

Francisco Rei Africano
em Vila Rica é um escravo,
não um escravo comum.

Mais do que todos trabalha,
não tem lazer, não tem vícios;
faz aos vinténs um pecúlio.

Forra o filho, o filho ao pai,
forram ambos um patrício
e vão forrando outros mais.

Novo Estado constituem
os negros vindos da costa.
São talvez mais de mil súditos
com Francisco no seu posto.

Das minas da Encardideira
mãos negras arrancam ouro.
Santa Ifigênia padroeira
já tem igreja no morro.

A igreja de Santa Ifigênia
era pobre, pobre, pobre.

As pretas que escavam minas
põem ouro nas gaforinhas.

Gaforinhas, touças ásperas
transformadas em bateias
todas as tardes se inclinam
sobre a pia de água benta.
E em troca do ouro que deixam
levam gotas diamantinas.

(Em campos de céu noturno
poeira de estrelas com chuva)

Santa Ifigênia do morro
ficou rica, rica, rica.

O rei tem nova consorte,
o filho deu-lhe uma nora.

No dia seis de janeiro
(Santa Ifigênia na igreja
aguarda a família real)

com sua esposa e com os príncipes
seguidos de negro séquito
nas ruas de Vila Rica,

Francisco Rei Africano
arrasta mantos de púrpura.

DRAMA DE BÁRBARA HELIODORA

"Bárbara bela,
do norte estrela,
que o meu destino
sabes guiar."

Quem é esse que assim canta
como quem está chorando?
Suas faces encovaram,
seus olhos se amorteceram,
sobre seus cabelos negros
cai uma chuva de cinza.
Ah! e havia tanta brasa
em torno de seus cabelos,
tanto sol na sua ilharga,
tanto ouro nas suas minas,
tanto potro galopando
nas suas terras sem fim.

Grão de poeira quando o vento
a madrugada castiga:
Já não é mais Alvarenga
quem foi Alvarenga um dia.

Do galho tomba uma fruta
verde sobre o lago fundo.
A árvore guardava a seiva
toda nessa fruta verde.
A mão trêmula do poeta
mal sabe aquilo que escreve:

"Tu, entre os braços,
ternos abraços
da filha amada
podes gozar."

A essas horas, na distância,
vai pela tarde dorida
sob a chuva, entre salpicos
de lama, em caixão mortuário
sem enfeites nem bordados,
senão os que a lama asperge
no pano que cobre as tábuas.

Quando a alvura da açucena
se refugiava nas moitas,
Maria Ifigênia encontra
sua gruta para sempre.

É deveras a Princesa
do Brasil, essa menina
de madeixas escorridas,
de lábios esmaecidos,
de túnica mal vestida?

Essa, a mesma por quem vinham
da Corte os melhores mestres
de dança e língua estrangeira?
A de damascos e auréolas
a quem brotavam nos dedos
tíbios ramos de coral?

Linda, lendária Princesa,
por quem chora já sem lágrimas
pobre mulher desvairada
de olhos que olham mas não veem.

Chora Bárbara Heliodora
Guilhermina da Silveira.
E em suas artérias corre
o sangue de Amador Bueno!
Chora, porém já sem lágrimas.

É de mármore seu rosto.
Seu busto cai sobre os joelhos:
flores que de trepadeiras
pendem murchas para o solo.

Talvez já nem saiba como
– para donaire da estirpe –
na ponta dos pés erguida
em hora periclitante
ousou admoestar o esposo:
"Antes a miséria, a fome,
a morte, do que a traição!"

Valem muralhas de pedra
para represa dos rios,
certas palavras eternas
que decidem do destino.

LENDA DAS PEDRAS VERDES

– Fernão Dias, Fernão Dias,
deixa a Uiara dormir!

Tem um sabor secular
ressoando dentro da noite,
a voz monótona do índio.

A Serra Resplandecente
fulge ao luar junto à lagoa.
Pela escada de Jacó
sobem e descem estrelas.

– Ai, Serra Resplandecente,
Lagoa Vupabuçu!
Tantos anos de procura
como é que os hei de perder!

– Fernão Dias, Fernão Dias,
deixa a Uiara dormir!
A vida da tribo está
no grande sono da Uiara.
O grande sono da Uiara
reside nos seus cabelos.
Seus cabelos eram de água,
tornaram-se em pedras verdes.

Voz de raça moribunda
Fernão Dias não escuta.

– Sete anos há que deixei
minha terra e meu sossego
em troca de uma esperança
que é meu respiro e bordão.

Da Serra da Mantiqueira
até o Rio Uaimi,
quantos montes, quantos vales
para descer e subir,
que de sombras e emboscadas
antes do raiar do dia!

Vem de mais longe, profunda,
a voz do índio recordando:

– Nas noites de lua cheia
quando a Uiara cantava
branca e linda, emoldurada
pelas ondas dos cabelos,
mais de um valente guerreiro
por ela se suicidava.
Foi então que Macachera
com prudência soube agir,
mandando Uiara dormisse
velada por sentinelas
um sono igual ao da pedra.

– Vós que velais o seu sono,
desembaraçai as armas!
Ah! esse canto escondido,
essa beleza roubada,
esses cabelos que brilham
com viva luz de esmeraldas!
Ser guerreiro, ser valente,
depois dormir para sempre
nos verdes braços da Uiara!

– Fernão Dias, Fernão Dias!
deixa a Uiara dormir!

VIAGEM DE DOM SILVÉRIO

Filho de Dona Porcina
quem te viu e quem te vê!
De aprendiz de sapateiro
para a celeste oficina.

Querosene aos bruxuleios
pingado na negra ardósia.
No porvir quantas auroras
manando ao correr da pena.

Congonhas, adeus.
Brumado às vistas.

Adeus, Colégio
de Matozinhos.

Na minha terra
noite alta a lua
com os Profetas
confabula.

Jardim dos Passos,
nas vossas moitas
guardai as minhas
lágrimas muitas.

Então os zéfiros
cantando passam:
Viva Silvério
com sua raça!

Silvério goza
sobressaltado.
Cavalo trota
com calma.

Poeiras e nuvens
girando giram:
para o futuro
toca ligeiro!

– Cavalinho, não te afrouxes,
não te pises nessas pedras.
Cavalinho, Dom Viçoso
teme pelas tuas pernas.

As borboletas
– com que cirandas –
em comitiva
para Mariana
tecem coroas
sobre o menino
que se adivinha
num trono de ouro.

– Serás Padre, serás Bispo,
mais do que bispo, Arcebispo.

Baixa a cabeça
o menino negro
no espelho do poço
procurando o rosto.

Súbito o cavalo
como cego estaca:
essa luz estranha
às bordas do poço
vem da madrugada
com reflexos ou
do puro diamante
que leva no dorso?

VISÃO DOS PROFETAS

Os Profetas estavam juntos
no adro da igreja. E confabulavam.
A tarde, perturbada a fundo,
cobria de nuvens a face.

Traçavam rudes desenhos
na fímbria do esquivo horizonte
com seus emaranhados ramos,
a selva e o Velho Testamento.

O rio, com suas líquidas
camândulas em soluço, fluía
por entre os desvãos da colina
pálida como um corpo virgem.

As raras palmeiras em torno
como guerreiros, erguendo
com donaire os finos torsos
amparavam o firmamento.

Urgia misericórdia
como se confusos augúrios
redundassem daquele encontro
de homens egressos do túmulo.

O mesmo pavor causavam
outrora nas estradas bíblicas
suas palavras que eram outras
tantas espadas de fogo,

seus gestos de que pendiam
vulcões acesos pelos ares,
seus carros que deixavam sulcos
de maldição e os campos áridos.

Porém não lhes servia a língua
para o açoite – com que volúpia
dantes! – nem fremiam ao vento
suas túnicas inconsúteis.

Orla de pérola a envolvê-los
naquela estranheza de Lázaro,
dos pedestais soerguiam-se
límpidos luares nostálgicos.

Por entre os matizes de Deus
nos lavores da pedra, tinham
a serenidade perfeita
dos acontecidos destinos.

Tal como barcos que através
de largos mares bravios
ao ancoradouro regressam
carregados de especiarias,

estavam plácidos os Profetas
e havia um mundo de sombras
ao derredor de suas frontes
sob a poeira de ouro dos séculos.

LOUVAÇÃO DE DANIEL

Como és belo, ó Daniel
dos bíblicos arcanos
aos vagares do pouso
de Congonhas do Campo.

Sob o céu constelado,
pela chuva batido,
prisioneiro da pedra
como dantes cativo,
todavia talhado
para sobrançarias.

Príncipe em terra estranha,
como outrora imperaste
sobre reis, por teu ânimo
e donaire de porte,
pela divina graça
permaneces magnífico
para as eternidades.

Mais que aos outros profetas
o Aleijadinho amou-te,
recompondo-te a essência
na harmonia do todo.
Dentre os blocos de pedra
pelo rolar dos tempos
receberás o orvalho
da estrela. Sol e azul
te saudarão primeiro.
Pássaros da distância
com preferência clara
pousarão no teu ombro.

Leão que outrora domaste
(mas com que destemor
numa estreita caverna!)
com submissa volúpia
bebe-te hoje os olhares
aos reflexos da lua.

Pensativa cabeça
sem orgulho, que sábia
posição escolheste
para ser e não ser!
Decifrador de enigmas
pelos desígnios do alto,
que em ti mesmo encontravas
as raízes da vida.

Não foi em vão, Daniel,
que salvaste Susana,
cavalheiro perfeito
pelas dobras do manto.

Giro em torno de ti,
Daniel, desapareço.
Prenunciando o Messias
continuas de pedra
pelas noites e os dias
passageiros e eternos.

VIDA, PAIXÃO E MORTE DO TIRADENTES

Entre rios e cascalhos
nasceu.

No berço das águas
cinco estrelas claras.

Ó infante, depressa,
as margaridas te esperam para a ciranda,
madrinha lua te espera para as vigílias.

Pejavam-se as nuvens, as nuvens fugiam,
cruzavam as tardes borboletas lentas.
Na sombra, setas oblíquas.

Antônia da Encarnação Xavier
não deixes teu menino crescer.
Ele não terá pouso certo,
será chamado o corta-vento,
exalará o hálito da revolta,
perecerá de morte infamante.

Talos e vergônteas ríspidas cresciam.
Seivosas touceiras com frutos cresciam.

Mãe morta. Pai morto. Campo limpo.
O caminho do louco está livre.
A terra pertence ao louco,
a terra é um punhado de poeira na palma da mão do louco,
por entre abismos levita o louco,
as serras são trabalhadas pelo louco,
os rios são dirigidos pelo louco,
a imagem da Santíssima Trindade acena ao louco,
a brasa de Isaías queima os lábios do louco,
vai pelo mundo o louco apregoando verdades!

As verdades como pedras
chovem pelo monte abaixo.
Cravejada de sementes
ergue-se a planície grávida.

Veio a tempestade, o incêndio,
a derrubada dos troncos.
Vai-se consumando aos poucos
o holocausto do cordeiro.

– Agora sei. Nenhum pouso
me prometia sossego:
as paredes da masmorra
não me poderão conter.

Nos socavões e nas grotas
dorme o ouro da madrugada.
Minhas algemas são de ouro
para servirem de aldrava.

Sinos de cristal ardente
acordarão a distância
com os fios desse enredo
para daqui a cem anos.

Céu azul, vejo-te ainda
nas orvalhadas da noite,
através da pura gota
que meus olhos chorariam.

Do roxo de minhas pálpebras
não tarda a nascer a rosa
em cujo pequeno cálix
mal cabe meu sangue todo.

Aurora da cor do sangue,
quantas rosas eu não dera
para que raiasses antes
que meu suspiro morresse.

POESIA DE OURO PRETO

¡Oh ciudad de los gitanos!
(Federico García Lorca)

Ó cidade de Ouro Preto
boa da gente morar!
Numa casa com mirantes
entre malvas e gerânios,
ter os olhos de Marília
para cismar e cismar.

Numa casa com mirantes
pintada de azul-anil
sobre a rua de escadinhas
que é um leque em poeira, de sândalo,
passar na janela o dia
vendo a vida que não anda.

E de noite vendo a lua
como uma camélia opaca,
flor sem perfume, de jaspe,
abrir o baú de folha
que é lembrança de família,
baú onde criam mofo
cartas velhas e retrato
de um ingrato namorado.

Numa casa com mirantes
lá da alcova, atento o ouvido
escutando as serenatas
de clarineta e violão,
evocar tempos perdidos
quando a Ponte dos Suspiros
– hoje povoada de sapos –
era a ponte dos encontros
dos noivos que não casaram.

Também ouvir a desoras
(risca fogo, bate casco
nas calçadas, a galope,
sem destino, sem descanso)
aquele cavalo bravo
que deu martírio e deu morte
crua a Felipe dos Santos.

Depois, de manhã bem cedo
ir à igreja das Mercês,
das Mercês e dos Perdões,
ficar ajoelhada no adro
na contemplação feliz
das volutas e dos frisos
e, embora sem ter rezado,
voltar para casa leve,
coração de passarinho
navegando com delícia
os rios de ar da montanha.

Com o lusco-fusco e o sereno
pôr agasalho de lã,
voltar o mesmo caminho
para assistir à novena.
Ver de novo hoje como ontem
a escura Casa dos Contos
onde mora a alma penada
de Cláudio Manuel, coitado.

Pisar com carinho as ruas
que o Aleijadinho pisou
marcando-as com sua força,
como se essas ruas fossem
lotes de pedra-sabão.

E quando houver procissão,
chegar perto de São Jorge
para ver a carantonha
do alferes que se presume.
E enquanto das casas nobres
vem almíscar de alfazema
por entre colchas de seda
e franjas pelas sacadas,
seguir de cabeça baixa,
na mão uma vela acesa.

Ó poesia de Ouro Preto
cofre-forte com segredo!
Poder olhar de soslaio,
meio escondida no mato
com verdes nódoas de musgo,
a casa em que se reuniam
em volta da mesa grande
os homens da capa preta.
Numa parede – há quem diga –
existe uma cruz de sangue
com que jurou Tiradentes,
uma cruz que se ilumina
no dia vinte e um de abril.

Ó poesia de Ouro Preto!
Em cada beco ver sombras
que já desapareceram.
Em cada sino ouvir sons,
badaladas de outros tempos.
Em cada arranco de solo,
batida de pedra e cal
ver a eternidade em paz.

Ó cidade de Ouro Preto
boa da gente morar!
E esperar a hora da morte
sem nenhum medo nem pena
– quando nada mais espera.

LENDA DA ACAIACA

Sobre a colina do Ibitira,
tronco robusto, fronde espessa,
a árvore sagrada se erguia.

Presa a raízes de nobreza,
lançava benigna aos quadrantes
as bênçãos do fruto e da sombra.

Era de vê-la ao sol e à chuva
balançando as vívidas folhas
por sobre o arraial do Tejuco.

Nas grandes noites em que a tribo
celebrava suas vitórias,
madeira trescalante e rija

pairava, nuvem sobranceira,
tocando a ponta das estrelas
com lucilações de coroa.

Inolvidável foi a noite
em que o guerreiro colheria
a flor de seus longos suspiros

para que em novos germinais
se perpetuasse pelos tempos
a fibra mesma da Acaiaca.

Tremem Iepipo e Cajubi
à proximidade do amplexo
que talvez seja apenas sonho.

O canto, a dança, o riso, o ritmo
das cerimônias se prolongam
para o impaciente amor em círculos.

Tardavam os pios de mocho
que maus augúrios acrescentam
ao que se deseja em extremo.

Tardava esse estranho rumor
como de golpes desferidos
no próprio coração da terra.

Ó dor! Ó numes! Ó tremendo
instante em que se desintegram
as esperanças de uma raça!

Mas quem revelara o sigilo
aos estrangeiros? Quem levanta
a mão contra as cousas divinas?

Que vultos rastejam na relva
enquanto oscila no ar em tombo
o tronco agigantado da árvore?

Quem fez soar o alarma de guerra?
– Cururupeba, a tua voz
já não se ouve em meio à desordem.

Bramam as potestades no alto,
riscam raios, rugem trovões,
irmãos se atiram contra irmãos.

Vai pelas trevas espectral
figura, empunha à destra um facho,
ateia chamas ao madeiro.

Lentamente o fogo votivo
num abraço perene envolve
a árvore e o corpo do Pajé.

Aos olhos úmidos da aurora,
diante do silêncio que vela
a tribo extinta dos Puris,

brasas e carvões da fogueira
rolam os flancos da colina
transmudados em frias pedras

duras, amargas, diamantinas.

ELEGIA DE MARIANA

Doce Mariana melancólica,
a evocação do teu passado
é um novo Ribeirão do Carmo
a propiciar centelhas de ouro,
em redundâncias e reflexos
do ouro que dava e sobejava
ao lume das correntes de água
quando as primeiras descobertas
eram fascínio para os povos.

Vejo-te ainda como outrora
encravada no coração
das Minas-do-Ouro, o porte ardente
das montanhas que serpenteiam
em torno de planície e vale
acenando para os de longe,
defendendo seu patrimônio
da gana dos faiscadores,
prometendo mundos e fundos
para a alforria do futuro
na gangorra do perde-ganha.

Retorno à Fonte das Saudades:
a mesma lua a antiga lua
inaugura a noite em que as Fadas
de tanto sonho pelo azul
pairam nos ares vêm baixando
em revoada de transparência
para o mergulho à flor do lago
entre lucilações e espumas.
Logo erguida nas próprias asas
Fada formosa entre as demais
abraça a lira e apura o canto:

Serás Mariana uma Rainha
sagrada para sempre à chama
desse "Candor Lucis Aeternae"
– pergaminho de privilégio
para teus foros de cristã.

E no "Áureo Trono Episcopal"
em sintonia de homenagem
ao Bispo Dom Manuel da Cruz
vencerás a imaginação
das cores das formas dos sons.

Tal cerimônia se inicia:
São flautas pífanos clarins
são claras vozes de cristal
cantando antífonas e salmos.
São arcos e jardins suspensos
dosséis portando girassóis.
São cavalos ajaezados
de ouro e veludo carmesim.
São figuras de alegoria
ornadas de plumas e franjas
de diamantes e de topázios.
Uma delas ostenta à fronte
um rubi que desfere fogo.

Vai desfolhando-se a Folhinha
a marcar um dia e mais outro.
É sexta-feira da Quaresma.
Ressoa meia-noite em ponto.
Já vem vindo em lento cortejo
a Procissão do Miserere.
Não se abram portas nem janelas
que a rua pertence aos defuntos.
Almas em grau de penitência,
envoltas em manto e capuz
carregando velas de cera

pisando áscuas de fogo-fátuo,
exprobam os sete segredos
por que finalmente se salvem.

Guia espiritual da Província
Mariana do primeiro ofício:
Fé Esperança e Caridade
foram teus dons para que sejam
remissíveis os teus pecados.

Salvem-se do tempo teus templos
teus palácios de amplas varandas
tuas pratarias avoengas
as messes do teu Seminário
tuas Irmãs da Providência.
Salvem-se os exemplos mais altos
do servo de Deus Dom Viçoso
de braços abertos em pálio
pelo sinal que te abençoe.

Teu ouro, oculto nas gavetas
para surpresa de rivais
à hora da avaliação do peso
no confronto diante do Reino,
além da doação de arrobas
sobrou para beneficiar
a florescência do Barroco
no revestimento de entalhes.

Ouro de maior relevância
extraído das minas da alma
entre as brumas da solidão
pulsa na pena de teus poetas:
Cláudio desbrava seus penhascos
mais rudes que os da natureza
– pastor apascentando musas.
Alphonsus diante do oratório

mais celestial do que terrestre
desfia o rosário de pérolas.

A saudade punge e conforta.

Em meio a vultos que pervagam
e confidências que se enleiam,
com mãos trêmulas o crepúsculo
afaga teus ombros recurvos,
doce Mariana melancólica.

ROMANCE DO CAVALEIRO DE PRATA

Meu Cavalheiro de Prata
Cavaleiro Cavalheiro
daqueles tempos fidalgos
de destemor fio a prumo!
Evoco teu vulto esgalgo
teus trajes veludo e seda
fulgurando carmesim
tua altaneira postura
sobre o corcel que em jaezes
de prata galopa à lua
no entressonho dos jasmins.

Vinhas respirando os ares
da noite de Vila Rica
vendo as estrelas brilharem
mais estrelas do que nunca
pelo eflúvio dos vidrilhos
pingo a pingo desatados
nos vergéis em que se alumbram
milhares de vaga-lumes.

Vinhas sentindo os rumores
do brejo com seus segredos
– esconderijo de amores
uns maduros outros verdes –
E as acácias em guirlanda
davam voltas ao barranco
namorando o Peregrino
de leves louros cabelos
recém-chegado da França.

De súbito o mundo em calma
estremeceu de alto a baixo:
O raio de um grito aos gritos
rasga da noite o vestido

Outeiros se erguem aos montes
Todas as águas se crispam:
No fundo de viela escura
com as peias da escravatura
jovem negra se debate
contra sanhas celeradas.

Num abrir e fechar de olhos
o Cavaleiro de Prata
rompe o cinto brande a espada
para a glória em luta inglória
de homem contra marginais.
Quando após minutos longos
a escrava se põe em fuga
– e se acendem novas fúrias
em que faíscam punhais –
eis o Protetor que tomba
sem uma palavra mais.

São três punhaladas rudes
no peito em que já se vê
pelo espelho a mão de Deus
São três rubis que se apuram
além do valor do custo
São três papoulas que escorrem
seiva de fogo e de mel
numa sucessão de sóis
pela madrugada eterna.

Desfaz-se o vento em soluços
em breve apenas suspira
No entanto um pássaro azul
em espirais de subida
já quase a perder de vista
circunscreve seus impulsos
pousa no Itacolomi.

De vez em quando Ouro Preto
(já se passou mais de século)
noite afora se extasia
vendo formas invisíveis:
Vem do Bairro das Cabeças
em alor de maravilha
todo azul à flor do luar
– rediviva palidez
para além do que é lendário –
o Cavaleiro da Ronda
no corcel de pelo branco
sempre com jaez de prata.

Se acaso um retardatário
(por ladainhas de amor)
percebe que o estão seguindo
claros passos cadenciados
– tenha o coração tranquilo.

Em missão de Protetor
de criaturas indefesas
(os lírios ao derredor
florescem quanto floresçam)
meu Cavaleiro de Prata
da nobreza intimorata
vai de esquina a esquina e volta
enquanto as ruas desertam
e se abre um pálio de névoas
sobre a cidade remota.

DISCURSO PARA SANTOS DUMONT

Nas asas da imaginação
voo contigo, Alberto.
Em plena luz o teu espírito
o meu em campo de névoas.
Ambos sonhando o inexistente
desde os primórdios da infância.
Vês uma estrela nas alturas
que habitarás em breve
traçando o esboço do destino.
Eu vejo o orvalho matutino
na pétala a desprender-se
nesse tremor de espera
de instante a instante.
E as cirandas retornam de outros tempos
com perguntas que se atropelam:
– Pássaro voa? – Voa!
Respondem vozes em coro.
– Homem voa? – Voa!
Com altivez responde Alberto
entre a algazarra dos ingênuos.
Um frêmito percorre o corpo
de quem mede o que diz
a contemplar nuvens além.
Nas asas da imaginação
o homem voa infinito afora
desentranha surtos de vida
pressente a essência das formas.

Alberto é uma águia, sobrepaira
as montanhas mineiras
escala os cumes do Brasil
alcança o teto do planeta.
É Leonardo da Vinci
seu nome tutelar.
É o Padre Voador

Bartolomeu Lourenço de Gusmão
seu consórcio exemplar.
Com que deslumbramento navega
ao lado de Júlio Verne.
Gênio com gênio de mãos dadas
plasmando o magma do futuro.

Alberto avança nos cálculos.
Já não lhe bastam os balões que aos centos
se elevam no éter e refluem
aos meneios do vento.
Aeromante, observa os rumos do ar
o segredo das estruturas
a força propulsora das hélices.
Quer ter a direção no punho.
E logo explode em poderio. Sobe
resoluto, contorna a Torre Eiffel
e vê a multidão a seus pés.
Ilumina-se o calendário:
mil novecentos e um
dezenove de outubro – dia mágico.

Os espaços se uniam por encanto
de polo a polo. O mundo caberia
no coração de um homem.

Alberto Santos Dumont, não previste
senão a alegria de voar, o fascínio
dos encontros de amor, a liberdade.
Porém os bárbaros de sempre
dentro em pouco urdiriam
maquinações de guerra. E o teu invento
se transmudou em fábrica de morte.
Desintegrava-se em destroços
a colunata do universo.
– Mea culpa – dizias – Mea culpa,
o traspassado coração à beira

de um abismo interior.
Novo Ícaro, tu te aproximaste
demasiado do sol. E o sol vingou-se
crestando tuas asas de cera.
Ó gênio alado, ó ser humano,
que comandaste tantas aeronaves
vitorioso de angústias e tormentas
pelos céus à porfia,
já não tinhas mais pulso
para tua nave terrena.
E bruscamente veio o luto
que jamais se alivia.
Por nossa culpa, nossa culpa.

AZUL PROFUNDO (1950-1955)

A JOIA

Diz o incauto: que fria
maravilha! Que fria
orvalhada translúcida! Que frio
artefacto sem jaça!

De que neve nasceu, à luz
de que lua polar, de que polidas
superfícies da morte?

Que relva de açucenas
reclinou, que gratuitos
nimbos etéreos pervagou,
antes de talhada em facetas?

Diz o incauto. E ignora
que esse duro diamante
– amarga amêndoa, câncer
da terra – em cujo
seio a tribulação
seu cajado plantou,
esse diamante duro
de seiva, é um círculo
de fogo, fogo surdo,
fogo do eterno, aprisionado
à coação do minuto.

AS IMAGENS

Pelo bojo da noite
tumultuosos corcéis.
Pelas escarpas, à noite,
atropelando-se uns aos outros.
Cavalgam sôfregos, as crinas
desnastradas ao látego
dos ventos.
As formas bruscas, a cada
brusco movimento, inauguram
belas imagens insólitas.

Nas estrelas, na lua,
se refletem as formas
desenvoltas. Que espelho
domaria um momento
o contorno sem freios?
Em que planície a descoberto
voltarão a ser plácidas
essas formas?
Em que andadura as colherá
o definitivo? Que antro
de toda vista isento
habitarão para sempre?
Em que instante, fixadas,
brilhará, pura, a essência
de que se agitam e se ofuscam?

À espera do amanhecer
perpetuam-se as formas.

CONTEMPLAÇÃO

Ânfora, tuas formas inúteis.

(Serão inúteis – tão belas?)

Quedas a um canto, vazia
de conteúdo, vazia
de néctar, de água.
Jamais serviste. E exiges
com ar de orgulho que te sirvam
– há séculos – o ambiente, a luz.

Mas ó donaire,
caçoila rara, flor de lua,
que segredo insuflou
teu assomo, que sonho
nas tuas curvas paira,
que invisível abraço
anelas, a que deus
enigmático és fiel
na tua contensão, que suspiro
de nuvens exalas, que aura
de madrugada exorna
teu sangue azul, que estirpe
fugidia restauras, que éter
de nostalgia te transforma
em espírito, em música
– para além da matéria –
ó infecunda, ó eterna?

MÁSCARA

Houve um tempo de aurora,
houve um tempo de lua.
Houve a seca e o orvalho.
Houve o vento violento
e a brisa da madrugada.
Hoje existe a Máscara.

Fruto opimo da terra,
sazonado, maduro,
transpirando através
da epiderme o suco
de sabor nem amargo
nem doce, apenas ácido,
da árvore pende a Máscara.

A um influxo da luz
sobre o prisma, composto
de numerosas faces,
o segredo profícuo
surge à tona e devassa
a sua própria Máscara.

ÁRIA CIGANA

Teu desafio aos cérberos: fúlgido
rasgo excessivo. Teu desgarre
de filho pródigo em lances
ao nível das estrelas. Tuas dalas
entre montanhas. Teus sulcos
de degelo nos lagos. Teus arcos
rompedores. Teus dardos
voluptuosos à carne: fúlgidos,
fúlgidos rasgos excessivos.

Por isso que de teus numes
restam nódoas de vinho
no campo níveo em rosas
que o pudor resgatara.

BAILADO

Haste delgada que o vento
joga para a imensidade,
caule com flor e raiz
pela música em volutas
arrebatado aos galeios,

o corpo na dança é livre
com a liberdade do espírito:

os aclives e declives
com a ponta dos pés afaga;
com o leve adejo dos braços
faz as colunas tremerem;
com o toque dos ombros rompe
a alta cúpula do templo;
como seta de cristal
devassa o opaco das nuvens;
transfigurado de neve
acende o fogo sagrado
na montanha; num relance
desaparece no azul.

Ó NOITE

Ó noite, ensina-me
o teu magno
segredo:
iluminar da sombra.
Da sombra permitir
a visão mais profunda.
Projetar pela sombra
o roteiro dos astros.

Quanto mais te recolhes,
ó noite, nos teus véus,
tanto mais fulgem
as constelações.

Serás acaso humilde,
generosa,
ou apenas criadora
de beleza?

Ó noite, ensina-me
o teu magno
segredo.

O IRREVELADO

Eis o trigo. Poucas
porém decisivas palavras
bastam para transmudá-lo
no corpo e sangue do Esperado.

Trigo incorrupto na infecundidade,
eis a matéria à espreita
de algo que lhe dera estrutura, de algo
que a modelara, dócil, à força.

ARIEL

Dança Ariel sob raios de sol
entre o vergel, vergando
as finas hastes, as corolas
repletas de orvalho. A gota
de orvalho, que clara
medalha sobre o peito de Ariel!

Dança Ariel renascido
de frias ruínas, como o arco-íris
do fundo dos vales. E o vento
com suas flautas e bronzes, que impulso
para os aéreos movimentos de Ariel!

Dança Ariel sobre as ondas. Seus pés
como pérolas salvas pendem
de dois frisos. E o mar,
que voluptuoso ninho de conchas
para o jogo de Ariel!

Dança Ariel sobre o altar das noites,
despertando as estrelas. E elas
próprias, suspensas
de secretos transportes, que ardentes
comparsas para o sacrifício de Ariel!

Dança Ariel para o tempo, à margem
da eternidade. E que precária
cousa, a eternidade,
para a alegria pura de Ariel!

DO IDIOTA

I

Os olhos são da infância, os mesmos:
lagos com reflexos de arco-íris.
Luas crescentes de surpresa
pelos vergéis que iluminam.

Oásis tenros que esperam
– talvez há séculos – o instante
de serem colhidas as tâmaras
que nem os anjos percebem.

Como a lâmpada de Aladino
contra as lufadas acesa,
os olhos guardam a inocência
suspensa por sobre o abismo.

II

As mãos pousam no ombro amigo.
Ó doce fluido magnético!
Acenos de trigal ao zéfiro;
auras do círculo infinito

no qual em rosas a água e o fogo,
o céu e a terra se entrelaçam;
guirlandas contornam mares,
névoas desprendem chuvas de ouro.

As mãos ignoram que profundas
garras possui a carícia.
Como pesaria uma pluma
sobre o espírito!

III

O peito é como o dos pássaros
procurando repouso.
Uma cruz esconde o tesouro
de pérola, magnólia e nácar.

Ergue-se um punhal contra o peito:
violino sob o toque do arco
arqueja e desfere aos jactos
um trinado mais célere.

A que imprevisíveis mundos
poderá conduzir,
pássaro nas grades, a tua
música para víboras!

DO MUTILADO

Quando alta noite insone
pensas na parte de ti mesmo
que a teu corpo já não pertence
– perna que jaz apodrecida
do outro lado do oceano –

acaso não te sentes premido
pela nostalgia das valas
onde – parcela de retardatário –
sufocadamente lateja
o teu monturo de carne
à espera de completação?...

DO CEGO

Para mim o mais triste
não é ver-te nos olhos
esse toldo de névoa
que te veda o espetáculo.
Porém a tua inépcia, a inépcia
com que descuras o espetáculo.

DO SURDO

Pérola branca, mar de nuvens.
Como é suave o universo!
Opaco, opaco.
Tombam no abismo os fatigados
búzios.
Tempo de letargo. Apenas
por entre reposteiros, dois olhos
pedem, por misericórdia,
o silêncio dos astros.

DO HIPÓCRITA

À saúde do hipócrita. À saúde
de seus ademanes de seda,
de suas doces olheiras e suspiros
de amor. É um gato
contornando porcelanas. É um elfo
esquivando-se à esgrima.
Pisa tacos de cera
com a devida cautela.

À saúde do hipócrita: poupa-nos
o espetáculo de suas vísceras.

DO LOUCO

Pelos ares, que elfo
comandaria o louco
nos seus avances e recuos?
Que elfo para alijar
suas azáfamas de súbito?
Para suster-lhe o talhe
transformando em frouxéis
os pedrouços da escarpa?

Porque o louco levita...

E dos bosques, que dríade
protegeria o louco
nas suas velhas contumácias
por sobre potros escumantes?
Que dríade para abrir
nesses tapumes a clareira
por apenas um fio?

Porque o louco tem lábia...

E do subsolo, que demônio
o arrastaria à força
às raízes, ao ponto
em que se nutrem de terra
e de fogo ancestral?
Que áspero demônio
para tatuar-lhe o corpo
doado às cabalas, nos seus torvos
e drásticos alaridos?

Porque o louco é sagrado...

DO POETA

O ar que respira é o do vergel.
Batido de sol, resguarda
pela espessura dos refolhos
algo de sombra e orvalho.

Entre os escaravelhos e o arbusto
do peito frágil existem
segredos buscando alívio
através de sussurros.

Do aroma que sobe e desce
pelas vergônteas em balouço,
nem concebera o zéfiro
a delicadeza. A força

com que se prendem ao solo
as emaranhadas raízes
tem origem talvez
nesse mundo remoto

antes das águas, muito antes
da criatura em face dos céus,
e acaso simplesmente prolonga
o ato criador de um deus.

AZUL PROFUNDO

Azul profundo, ó bela
noite inefável dos
pensamentos de amor!

Ó estrela perfeita
sobre o espesso horizonte!

Ó ternura dos lagos
refletindo montanhas!

Ó virginal odor
da primavera derradeira!

Ó tesouro desconhecido
por toda a eternidade!

Ó luz da solidão,
ó nostalgia, ó Deus!

ITINERÁRIO

Ter o orgulho e o pudor
da pedra afeiçoada à origem.

PASTOR, TUA ESTRELA

Pastor, tua estrela
está morta, morta.
Seu brilho, através
de teus olhos, mora.
Repousa a beleza
na tua memória.

Pastor, tua estrela
está fria, fria.
Antes que chegasses
a vê-la, ferida
pela eternidade
da espera e vigília,
na sombra marcava
sua forma fixa
para prolongar-se
no olhar que a veria.

Pastor, tua estrela
está longe, longe.
Ainda que te embrenhes
por vales e montes,
nas encolhas terno,
garboso nos lances,
não lograras tê-la
jamais ao alcance.
Do desejo ao beijo
medeia o horizonte.

AS ALGEMAS

Da enamorada as algemas
são de ouro puro. As algemas
nunca em demasia fortes.

Premidos, os frágeis pulsos
pedem cadeias que os prendam
à prova de sete chaves.

Anelam novas correntes
que os enlacem, que os entravem.

Por que de exaustos e exangues
percam a aposta nas lides.

(Perder para o Amor: ó fonte
trêmula de delícias!)

SUSPIRO

Adivinhar no azul
a hortênsia, o cristal, a antecâmara.

Sentir nas mãos a brisa à semelhança
de um instrumento aflorado
pelo abandono.

EXPERIÊNCIA

Aqui da noite onde há frio
sob o cristal do céu. Aqui
onde aporta a geada. De onde
relvas endurecidas e brancas
cobrem as linhas da paisagem.

Pérola solitária à vista. Experiência,
acumulado tesouro. A arca reluz
de velhas, incorruptas medalhas.
Tudo aqui veio ter: o exótico
e a própria efígie – de perfil.
A espuma que subia à tona um momento
e fixou-se – esmeralda perene.
O lenho transmudado em música
(ouro nas árias, bronze nas cantatas).
A estrela à extrema despedida,
subitamente, inesperadamente.
Todo o moroso esquecimento de anos
lavrando a terra, trabalhando,
selecionando, colecionando
delgadas lâminas de espelho.

Aqui da noite onde há frio
sob o cristal do céu. Aqui
onde aporta a geada.

SERENA

Essa ternura grave
que me ensina a sofrer
em silêncio, na suavi-
dade do entardecer,
menos que pluma de ave
pesa sobre meu ser.

E só assim, na levi-
tação da hora alta e fria
por que a noite me leve,
sorvo, pura, a alegria
que outrora, por mais breve,
de emoção me feria.

PODER OBSCURO

Eu ia dizer sim, disse não.
Ia levar à boca o sumo
do fruto que plantara. Porém
uma vez mais tornei-me
o anho imolado.

Que poder obscuro
governa teu povo, ó Deus?

Pelos indícios talvez haja
nas proximidades do humano,
surdamente à espreita,
entre esconsos desvãos
de bosque junto a outro bosque
e mais bosques em cerco,
uns dedos tensos, finos, ágeis,
de maneirosa deflexão,
para as tramas do ensejo
emaranhá-las. Ou cortá-las.

De anjo gratuito, acaso,
(ou demônio insidioso)
o inconcepto decorre.

E este despojo. E este espanto.

ESTUDO

Reflete-se no fundo do espelho.
De onde veio? Quem é? Para onde
vai, quando se for? Mistério.

Todas as cousas lhe parecem grandes
demais para o seu talhe exíguo.
Tudo é singular a seus olhos,
tanto a escuridão como a estrela.

Habita o tempo, não o espaço.
Inconsútil é sua túnica,
não de ouro ou púrpura tecida:
de matéria mais simples.

Não pertence ao momento: vive
um mundo imemorial que passou,
que não terá chegado ou talvez
nem chegue nunca, pois instável.

É como se a vida fosse
perene, a fluir, dentro de um êxtase;
e uma palavra em falso o bastante
para o seu desencanto.

Às ondas adversas resiste
com entranhada pertinência
de areias úmidas. Perdoa.
Perdoa, porém não esquece.

Ama o vergel e o musgo. Preliba
da beleza o sabor se aos lábios
polpa de fruta leva
lentamente amadurecida.

Dos pássaros recolhe o exemplo
que vai da garganta às asas:
são harmoniosos tanto quanto ariscos,
às voltas com o próprio equilíbrio.

Sem esperança de resposta,
fala com os ventos e as águas
em solilóquio ininterrupto.
Ouvem-na a distância e os ermos.

A solidão é sua pátria
indicada: no azul profundo
se inscreve, não mais o brilho
do cristal, mas a sua essência.

DESDÉM

Última flor: desdém.

Tem certo encanto, certa graça
de breves lábios, finos dentes.

Flor ligeiramente pálida
com tênue rubor de aurora
desaparecida. Com quem?...

Quem foi que nesse jardim
tantas flores com tanto afã
mancheias colheu?... Ninguém.

Última flor: desdém.

Flor que poderia ser fruto
de paladar bastante ácido
e sumo grosso. Porém...

(Os dedos dentro da luva
escondendo unhas e dardos.)

Um gesto nada agressivo
corta a flor, atira-a no ar.

Essa flor deve ser de alguém.

CORAÇÃO E ESPADA

Um coração e uma espada:
ah que luta mais ingrata!

Uma espada tão aguda
para trajeto tão curto.
Um coração tão pequeno
para tão cruel ferimento.

Uma espada com adornos
de safiras e diamantes.
Um coração pobre e roto
no seu vestido de sangue.

Espada cujo porvir
de azuis espelhos polidos
ofuscara alvas e estrelas,
fendera oceanos ao meio.

Coração que no holocausto
– cordeiro tímido e trêmulo –

acode ao mundo das mágoas
com o silêncio...

Um coração e uma espada.

COMPANHIA

Alguém por mim sobre as ondas
caminhou, quando a noite
tateava cega o horizonte.

(Alguém que os sentidos negam
mas se delineia em vagas
reminiscências de outra luz

e por sobre as ondas paira
quando o timoneiro dorme
ao naufrágio das barcas

e os corpos tombam de envolta
com as espumas, e as almas
ressuscitam do caos.)

Alguém para outra existência
caminha, vencendo espiras
no azul, aos últimos haustos
da esperança no eterno.

Alguém, que me supre o hálito
à hora do letargo profundo
e no tempo me precedeu
com as puras auras do instinto
rumo a estranhas auroras,

comigo rolará para sempre
sem mais flores – no ignoto.

PLENITUDE

A coroa. A rosa.
A palavra amor.
Tudo o que de belo,
suave e forte, fere
o espírito, os sentidos
e o coração. Perfeito.

Dentro do atingível,
perfeito. A coroa.
Na visão, na levitação
das imagens etéreas,
na auréola dos cabelos,
na cavalgada verde
das árvores para o alto,
no relincho dos potros
ao encontro da aurora,
no espanto dos que se olham
e descobrem que se amam.

Dentro do instável,
perfeito. A rosa.

O rubor. A carícia
na timidez. Nos raptos
do enlevo, a gratuidade.
No donaire, a bruma
do que pudera ter sido.
Na renúncia, a perfídia
dos entreabertos lábios.
No aroma que se desprende,
a fonte do que permanece.

Perfeito, dentro
do temível. A palavra
amor. Em plenas vozes

pela boca de um deus.
No bulício das vides
ao esbulho das podas,
no irromper das abelhas
em defesa à colmeia,
no estardalhaço das estrelas
em demanda das nuvens,
– a paz sobre a planície.

CANÇÃO GRAVE

Sobe do vale um soluço
que desde sempre conheço.
Com que nostalgia o escuto
por entre as fontes e o vento!
Quando parece acabado
de tristeza na penumbra,
paira de leve no espaço
preso aos fios de outra lua.

De acaso não ter amado
ou de ter amado muito?

Basta escutar para ouvir
entre todos os murmúrios
da natureza e da graça
o irremediável soluço
que das grotas para a várzea
foge com as névoas de envolta
e com voz tênue de choro
queda na relva pisada.

De ter amado sem causa
ou de ter causado amor?

Tantos muros balouçantes
ao toque das trepadeiras,
tantos cristais em faceta
para a conserva da flor,
quantos soluços discretos
sob turbilhão de sons.

De estar de posse do amor
ou de por ele morrer?

Naves pelos céus escampos,
barcas ao longo dos rios,
rios pelo mar adentro,
mar as terras circundando,
cidades, ruas, canções,
ai! soluços que não findam.

De andar amor procurando
ou de a ele haver fugido?...

CASA DE PEDRA

Entre a voz alta da mulher
e o pertinaz silêncio do homem,
Casa de Pedra, eras completa.

Recebias do céu o orvalho
sobre a fronte e, da terra cálida,
tinhas o musgo pelos joelhos.

À luz da lamparina frouxa
cada ano teu berço de vime
embalava um novo rebento

adivinhando-o sem senti-lo
– fio de seda no casulo,
pérola nascente na concha.

E eram risadas e eram prantos
assaltando teus corredores,
alvoroçando-te as janelas

abertas para o mundo vário
onde pervagavam libélulas
ao menor aceno da brisa,

enquanto junto à relva os caules
sustinham as corolas presas
contra as veleidades do voo.

Pelas tempestades, que estranho
medo impregnado de prazer
se apoderava dessas crianças

de olhos atentos ao fulgor
dos raios, de espírito alerta
à fascinação da desordem.

(Lúcifer, tua rebeldia,
teus assomos de orgulho, teus
bruscos anseios de aventura!)

Porém as paredes espessas
– não apenas de cal e areia –
sustentavam-se de argamassa

umedecida pelo suor
dos pais, dos avós, da linhagem
rediviva ao pé da lareira.

Quando a morte, trêmula escarcha
a fluir dos membros, com furtivos
gestos oblíquos de colher

brandia de súbito a foice,
um grito pela madrugada
anunciava o final dos tempos.

Então se fazia o mistério
– igual ao que reina nos pélagos
após a submersão de um barco.

(Ó vida, ó morte, entrelaçadas
fibras da humana tessitura,
onde findais ou começais,

nesses crepúsculos de aurora
em que a luz exsurge da sombra
numa sucessão conivente?)

Não sei que anjo consolador
aos poucos, uma lua triste
levantava sobre a colina

por entre pontilhadas joias
pendentes, prestes a cair
em gotas, como as nossas lágrimas.

Datam daí as descobertas
do silêncio – maior que o verbo:
toda revelação é inócua

diante do abscôndito que expira
no momento mesmo em que as ondas
lançam seus segredos à praia.

Tardes mornas de adolescência
estranhamente estremecida
desde os refolhos à epiderme,

com novos odores e formas
inaugurastes um jardim
de anêmonas, lírios e cardos.

E era (longe ou perto?) uma flauta
– aquela ovelha desgarrada
pelos noturnos do infinito.

Que amor pudera esse infinito
colmar – de anelos que exigiam
existência além do existente?

Que perfeito, essencial amor
lograra terminar de vez
o embate do anjo com Jacó?

E as nuvens fugiam e as nuvens
voltavam sempre mais cerradas
propondo normas ao destino.

Entanto, a alma se preparava
para o grave consentimento
da solidão em companhia.

Vozes de todos os quadrantes
de teor e línguas diferentes
compunham a lenta escritura

viajada de longes ventos
por entre bosques e degelos
de coração a coração.

(Natureza, teu equilíbrio
simples, em plano extraordinário
está nas mãos da Providência:

o corpo e o espírito vivem
como os esteios da balança
– de uma compensação de forças.)

Adelgaçaram-se os sentidos
para a música das esferas,
a música, a divina música

mal balbuciada pelos coros
em que se integra cada ser
na participação total.

Não mais a ferrugem dos gonzos
vingaria seus planos surdos
de cindir a existência e o sonho.

Pois a fidelidade ao pacto
de conservar o facho à destra
pairara acima de ti mesma,

Casa de Pedra – imemorial.

O TESOURO

Em pleno cristal reside o tesouro.
Orvalho cotidiano. Mãos de criança
poderiam tocá-lo.
Porém o homem buscou na distância
a névoa para os próprios olhos.
Com a sombra caminhou sobre os mares,
com a noite regressou à terra.
E logo vislumbrava o tesouro
por entre as montanhas da lua.

O tesouro é desnudo. O louco
o transporta ao reino dos sonhos
onde pervagam panejamentos.
Sopram os vendavais sobre as formas
a cada instante recriadas.
E em meio à conjura de mitos
o diamante se troca
pelas joias de embuste.

Pronto para abastecer o universo
com a delicada flor dos trigais,
a todos pertence o tesouro.
Porém em torno da arca lavra
o pânico, lavra o fogo nos campos
guardados pelas foices recurvas.
E a um passo dos rufiões o tesouro
permanece inviolado.

Demasiado ardente é o hálito
humano sobre a camélia branca.

NATAL

Vejo a estrela que percorre
a noite larga.
Vejo a estrela que perturba
fundos mares.
Vejo a estrela que revela
a eternidade.

Mas para onde foi a estrela
contemplada?
Para onde foi no momento
mais amargo?
Em que cimos ora habita
que debalde
nos olhos guardo constantes
orvalhadas?

Vejo a estrela – tão de súbito! –
ao meu lado.
Vejo os olhos do Menino
desejado.

MARIA

Sob a estrela de maio
como é doce, Maria,
retornar a teus áditos.

Como surpreende ver-te,
entre instáveis e efêmeras
sombras, a pura imagem.

Esta imagem que a infância
– fonte de nostalgia –
traz de auroras desertas.

Na mesma nuvem, pairas.
Orna-te a mesma flor.
Tens o mesmo ar de lua.

Para os olhos com lágrimas
são teus antigos véus,
não miragem mas flâmula.

Nenhuma, nenhuma pátria
foi mais fiel ao viandante.

O QUE DORME

O que dorme renasce: confia
em Deus, nos animais, nos homens.
No teto erguido sobre a sua fronte,
na segurança das paredes que o cingem.

Sabe que o vento acaricia as plantas
e através do solo desliza a chuva
e as raízes secretamente se unem
para que as flores acordem pela manhã.

Sabe que o amor vigilante o contempla
enternecido pela sua fragilidade,
como ao longo dos horizontes baixam
as asas da noite maternais e plenas.

Não há mistérios para o que dorme.
Peregrino da treva, o instinto
da estrela em equilíbrio no orbe
salva-o da insinuação dos abismos.

De seu semblante desaparecem
os vincos do cansaço e a amargura.
E é pouso de pluma sobre o mármore
sua respiração compassada.

A MENINA SANTA

Com as rosas da madrugada
e o repique de ouro dos sinos,
à altura das nuvens se ergue
a menina santa.

Que puras linhas de alabastro
deixam no recorte da abóbada
os ombros, os seios nascentes
da menina santa.

Que ovalado rosto de pétala,
que lume nos cabelos leva
à semelhança dos anjos,
a menina santa.

Que estranha força reside
nesse pequeno corpo frágil
para guardar de toda mácula
a menina santa.

Homens de densas barbas ruivas
entorpecidos na lascívia
tremem ao ver a casta imagem
da menina santa.

Mulheres de veludo e foscos
olhos de caverna choram
as suas próprias ruínas junto
à menina santa.

Vindos dos extremos da terra
virgens adolescentes tocam
em êxtase a fímbria das vestes
da menina santa.

Milhares de vozes proclamam
entre soluços a menina
que por uma flor morreu:
santa, santa, santa.

A GOTA DE ORVALHO

Alma, a gota de orvalho
que de teus bordos pende
(ah! não te olvides)
nos mares esteve
entre dunas e pélagos
anos e anos perdida.
Do sal provou
a mais fina amargura.

Na proa viajou
dos navios e à guarda
do velame brilhou
nos adentros da noite.
Às nuvens ascendeu
e traspassada pelo sol
com sete véus dançou
o arco-íris.
Em torrentes pluviais
se envolveu e exausta
foi atirada com as espumas
ao léu.
Entre ásperas pedras
tombou, perclusa,
e por milagre salvou-se
absorvida pela atmosfera.
Delongas suportou
as mais capciosas para
condensar-te no seio
os seus fluidos primevos.

A gota de orvalho
que de teus bordos
pende.

A BUSCA

Das malhas que tecera o futuro
escapou – ileso – o adolescente.

Não o busqueis por debaixo d'água
onde repletos se acham os peixes
que de seu corpo se alimentaram.

Na doce massa líquida apenas
como avisado navegador
abasteceu-se para outras viagens

aéreas, marítimas, quem sabe?
onde não contam as latitudes
e as longitudes convencionais.

Buscai-o nas estrelas, na lua,
no odor das flores as mais esquivas,
na aragem transmissora de pólen.

Ou melhor, nos ensombros da noite,
quando um relâmpago de repente
se acende e apaga sem nos dar tempo
aos olhos de percepção precisa.

MÁRMORE

Mármore seco, nenhum pranto
umedeceu teu corpo liso.
Foi teu destino a solidão,
companheiro perdido.

Se alguém chorasse acaso
sobre teu compacto silêncio,
ao sol secariam as lágrimas
cujo sabor desdenhas.

A NOITE DO ENFERMO

Interminável noite
a do enfermo.

Caminha sem escopo
nem termo.

Sobre as águas crespas
compassados remos.

Vem de tempos remotos
de uma primeira noite
de febre.

E é tudo noite
desde a infância, desde
a mais velha sede.

Que desenhos são esses
enormes
pelas paredes?

Desconhecidos rostos
à espreita.

Água em torno ao barco,
espessa
para a boca seca.

Água salgada: desespero.
Água salgada: desapego.

Amarga o amor
para a agonia
tarda.

MUSA

Delicada Marília,
como soubeste ser
e renunciar!

As palavras de amor
que eram franjas de nácar
descendo-te ao longo
dos membros,
nunca te surpreenderam
mais do que o natural
rubor.
Como o espelho dos lagos
ao sussurro de vento,
possuías a revelação
e a calma.

O sofrimento cruel
com seus sete punhais
em estrias na tua
carne tenra,
não te arrancou aos lábios
sombra de queixa.
Como o que eras – lua
remota, estrela-d'alva –
seguias a norma de
sofrer e calar.

Nem os foscos enredos
de sub-reptícias áspides
sob o teu calcanhar,
nem os violinos
trêmulos em tributo
ao teu inacessível
plinto,
perturbaram-te o ofício

inefável de musa.
Musa com perfeição
e plenitude – aérea.

És para a imortalidade
o que foste: a concha
com sua pérola.

ROSAS

A Paulo Emílio

Ó surpresa! Ó rosas!
De que reino viestes?
De que vívida aurora
transparente e secreta,
vos nasceram no talo
uma por uma as pétalas,
tal como se ensaiásseis
de asas e auras o voo
para além do sol-pôr?

Ó mistério! Ó rosas!
Mas que magnificência
significais, num mundo
que não habitareis
senão claros minutos,
nessa premente e surda
condição de beleza
que vos torna profunda
a alegria de ser?

Perturbadoras rosas!
Trasladais porventura
do eterno para o efêmero
a mensagem primeva.
E baldada a esperança
de solvência entre os homens,
dai-vos de alma ao delíquio
em que a bruma vos toma
e vos identifica
entre o anelo e o suspiro.

MONTANHA VIVA – CARAÇA
(1956-1958)

INTRODUÇÃO

Situa-se nas proximidades de Santa Bárbara, não longe de Belo Horizonte, em altitude de 1500 metros acima do mar, um vale formado pelo desvio de duas montanhas que mais adiante novamente se enlaçam, unidas ambas à matriz rochosa. De formato oblongo, parece um berço levantado às nuvens.

A Serra do Caraça, assim denominada por seu desenho semelhante a um perfil de homem, guarda na verde concavidade, repleta de acidentes naturais, um pequeno mundo grandioso – monumento histórico, santuário místico, fonte cultural de humanidades e ciências, campo de formação do corpo e do espírito, sementeira de paz e santidade – que neste livro, *Montanha viva*, busquei interpretar.

À pergunta – o que é o Caraça? – poderíamos responder: um conceito de vida, uma forma de existir, uma filosofia tanto mais real quanto mais poética.

Inaugurou-se em 1774 a primitiva igreja, construída por certo personagem lendário. Chamava-se Irmão Lourenço de Nossa Senhora e aparecera, vindo de Portugal, em meio a muito mistério. Dizem que era nobre de estirpe, que descendia de família então cruelmente perseguida pelo Marquês de Pombal. Seria, nesse caso, Carlos de Mendonça Távora. Dizem outros que havia participado de vingança contra El-Rei D. José I. Seria, então, Policarpo de Azevedo. O fato é que o peregrino se declarava desiludido do mundo e se mostrava extremamente preocupado com a salvação da alma. Era Irmão 3º da Ordem Franciscana.

Escolhido o local para sua morada e edificados, com ingentes sacrifícios, em puro estilo colonial, a igreja e o cenóbio, procurou ele obter a presença de sacerdotes que atraíssem romarias ao templo.

Ao chamado dos pregadores acorria o povo com fé e solicitude; irradiava-se, dentro em pouco, pelo território mineiro, a fama dos milagres da Senhora Mãe dos Homens, até hoje reverenciada entre nós.

Em testamento, com lucidez extraordinária, legou o Irmão Lourenço, que viveu longamente, todo o seu patrimônio à Fazenda Real. O que ele mais desejava, a vinda de missionários para o governo do eremitério, realizou-se logo após sua morte, ocorrida piedosamente em 1819. Contam que, à hora da agonia, foi consolado pela visão da Virgem.

Convidados por D. João VI, instalaram-se no Caraça, que então recebeu o título de Real Casa da Missão, os Padres da Congregação da Missão, aos quais chamamos Lazaristas. Assim se inaugurou a obra dos Filhos de São Vicente de Paulo no Brasil.

Data de 1821 a fundação oficial do colégio que tantas luzes traria a Minas. Leandro Rebelo Peixoto e Castro e Antônio Ferreira Viçoso, de origem portuguesa, foram os primeiros e admiráveis elementos de evangelização e cultura nesse ambiente agreste. De França, Holanda, Alemanha, Bélgica, Itália e Espanha, aportavam, de tempos em tempos, dedicados e ilustres missionários.

Lá por 1880, opinou o Superior, Padre Clavelin, que o templo seria pequeno para preencher suas finalidades. Faz demolir a fina joia colonial e coloca no seu lugar um majestoso templo gótico, inegavelmente belo na sua força de granito, na brancura de seus mármores.

O colégio teve uma época de prosperidade e brilho, durante a qual recebeu visitas célebres, como a de D. Pedro II e D. Teresa.

Formada aos poucos, com acervo de obras vindas, na maior parte, da Europa, tornou-se a biblioteca uma das mais raras no mundo. Em verdade, é museu de maravilhas.

Com o correr dos tempos e talvez com a sua fama de austeridade, o colégio entrou em fase adversa, de insuperáveis obstáculos. Outros estabelecimentos mais acessíveis iam-se espalhando pelos burgos mineiros. O Caraça transformou-se, ou melhor, confinou-se, a partir de 1912, à Escola Apostólica, ainda hoje florescente e frequentada por duas centenas de jovens com inclinação para o estado eclesiástico. Ao final dos estudos, alguns poucos se encaminham para o sagrado ofício.

Entre os antigos alunos do Caraça, além de grande número de sacerdotes, magistrados e latinistas eméritos, distinguem-se no cenário da vida brasileira: Artur Bernardes, Pedro Lessa, Afonso Pena, Melo Viana, Olegário Maciel, Raul Soares de Moura, Joaquim Cândido da Costa Sena, Arduíno Bolivar, Carlos Carmelo de Vasconcelos Motta.

Para mais amplo conhecimento do assunto, são recomendados os seguintes livros, principalmente, pela graça lírica, o primeiro:

SARNELIUS. *Guia sentimental do Caraça*. Belo Horizonte: AEALAC, 1953.

O CENTENÁRIO do Caraça (1820-1920), por um padre da Congregação da Missão. Rio de Janeiro: T. Bernard Frères, [s. d.].

PIMENTA, P. Silvério Gomes. *Vida de D. Antônio Ferreira Viçoso, bispo de Mariana.* Mariana: T. Arquiepiscopal, 1920.

CARAÇA: apontamentos históricos e notas biográficas (1845--1903). Belo Horizonte: Imprensa Oficial, 1907. Parte II.

LIMA JÚNIOR, Augusto de. *O fundador do Caraça*. Rio de Janeiro: [s. n.], 1948.

SENA, Joaquim Cândido da Costa. *Discurso*. Ouro Preto: T. Rodrigues, 1906.

SAINT-HILAIRE, Auguste de. *Voyage dans l'intérieur du Brésil*. [s. l.]: [s. n.], 1816.

P. F. S. *Monografia da Irmandade de Nossa Senhora Mãe dos Homens*. Caraça: [s. n.], 1905.

H. L.

1959

DESCOBERTA

Quem fora temerário, quem galgara
da compacta montanha
os degraus para além da natureza?

Quem as fauces
de antros, abismos e desfiladeiros
ousara desafiar com o próprio peso?

Que asas de águia nos ombros, que rapinas
nos frágeis membros de homem, compusera
a graça contra o cosmos?

Quem atingira o verde vale
resguardado entre rochas, onde outrora
negra fornalha vomitava chamas?

Quem pisara o planalto
cujas águas imaculadas
eram espelho de libélulas?

Quem rompera o silêncio de milênios
igual na majestade ao que precede
à criação no caos latente

para do peito desarraigar
palavras de alicerce que entre as pedras
como pedras se firmam:

– "Esta é a minha morada para sempre?!"

MURMURINHO

Ó visão do demônio, ó força mágica,
membro das trevas destacado!

Volta às plagas do ignoto,
teu baluarte é sem nome!

Perca-se na floresta o teu vulto,
teus olhos são estranhos pélagos!

Levem-te os ventos para longe,
tua voz atrai as serpentes!

Arrebatem-te as ondas do oceano
teus passos deixam fundas marcas!

Desaparece em sarças de fogo,
tuas mãos têm nódoas de sangue!

(A Policarpo de Azevedo
que ninguém sabe onde andará,
perseguem fúrias de além-mar
no murmurinho brasileiro)

VOCAÇÃO

Ah! que esse vulto estranho
talvez evoque tempos mortos,
no anseio de achar vida nova.

Caminha a largos passos lentos.
Traz no horizonte os olhos fixos.
Talvez nas nuvens veja signos

e logre coordenar palavras
do alto e secreto códice
que ao voo convida almas e aves.

Vem de outras terras e outras eras,
rosário ao pescoço e bordão,
na roupagem de franciscano.

Talhado para empresas magnas,
o corpo esbelto vence as fráguas,
o espírito quer plenitude.

Ei-lo. Da planície contempla
a serra que na tela azul
recorta a máscara de um homem.

(Negra muralha de montanhas
torna-se escada de Jacob,
não antes da luta com o anjo)

Empalidece o peregrino.
Fogem-lhe os ímpetos. Ajoelha-se.
E há luz em volta aos seus cabelos.

A LENDA

Carlos de Mendonça Távora,
nome singular que ofusca
de névoas a manhã primeira.

Paira no leito flutuante
de ondas e espumas deixando
sulcos e auras de mistério.

Salvo das águas o vime
retoma dos tempos bíblicos
o roteiro de Moisés.

Vem de uma estirpe imolada
por uma violência expressa.

Restaura sua linguagem
como herdeiro da promessa.

SOLIDÃO

Um homem na solidão
– que perene solilóquio! –
fala profundo a si próprio.

Fala a Deus em termos claros
a fluírem das mesmas águas
pela eternidade em curso.

Fala com tremor na voz
para que relvas e musgos
a palavra testemunhem.

Fala com os ventos diversos
para que a mensagem levem
aos ouvidos do horizonte.

Fala com o penhor das rochas
para que as estrelas o ouçam
desde a pedra em que se assenta:

"Da pedra de solidão
hei de levantar um templo."

A IGREJA

Oito mil cruzados
dão para o alicerce.
Oito escravos negros
carregam as pedras.
Dezoito degraus
plantam colunetas.

Pórtico na frente
galeria em volta,
delicadamente
modesta por fora,
recama-se a igreja
de lambris e rosas.

Anjos invisíveis
trabalham na empresa:
sobre o oceano, tensos
fios de ouro estendem
por onde cortinas
de damasco chegam.

Preparado é o trono
da Virgem formosa
que arrancou de longe
com o menino ao colo
para de hoje em diante
residir conosco.

Ambiente propício
de graças e musas,
cibórios, relíquias,
perene dossel,
guarda com penumbras
a Porta do Céu.

ORAÇÃO

Nossa Senhora Mãe dos Homens,
a tua igreja está de pé.
Dias rudes, noites insones
testemunharam minha fé.

Quem há de completar a obra
que reguei com meu pranto e suor?
A mim, carece-me o que sobra
a teu poder e a teu amor.

Tu que nos fizeste nascer
para a graça, espiritualmente,
conserva-nos junto ao teu seio
tão fecundo como inocente.

Pela tua maternidade
mística e real, à hora da dor
em que a todos nos irmanaste
a teu Filho Nosso Senhor.

ROMARIA

Aonde vai essa gente a subir a encosta,
essa gente que leva o semblante sombrio
e entrementes recobra o sorriso da infância?

A que vão as numerosas criaturas
de ombros caídos e frouxos braços?
Em que serenos lagos se banham?
Sob que largas árvores descansam?

Que óleo se derrama sobre as almas e os corpos
dos que vão ter ao cimo rochoso
e à planície logo depois regressam
como se houvessem renascido?

De que tecido são as novas vestes
imaculadas e simples
a adelgaçarem a cintura dos que lá deixaram
suas antigas escuras roupagens?

Que luz é essa a brilhar nos olhos
do homem taciturno chegado há pouco
e agora gárrulo entre as crianças e as fontes
sorvendo a plenos pulmões o ar livre?

Tudo isso é misterioso ao extremo.
E eu bem quisera, unida à montanha viva,
participar do segredo que se resguarda
no seio das pedras sob a coroa das nuvens.

ROMEIRA

Joelhos em terra, braços abertos,
de vela acesa nas duas mãos,
surge a romeira que o sofrimento
plasmou sublime na gratidão.

Sempre de joelhos vencendo os pisos
penetra a nave sob os olhares
dos cem devotos mudos de assombro
que se apressuram a abrir-lhe passo.

Em frente ao nicho do altar maior
baixando a fronte depõe a dádiva
do pranto enorme que desce orvalho
por suas faces de ardente rosa.

Chuva de graças com sete cores,
que espessas brumas, que brumas frias
não te geraram, para que em jorros
te derramasses pela campina!

IRMÃO LOURENÇO

No claustro novo dos monges
para lá e para cá
o Irmão Lourenço passeia.
Entre o jardim das camélias
e o pujante paredão,
seus passos largos sem peias
batem com força no chão.

Na galeria do pátio
para lá e para cá
o homem de Deus passeia.
Entre o mosaico das telhas
e o azul que lhe ergue a visão,
seus passos com certo enleio
pisam de leve no chão.

No mudo claustro vazio
para lá e para cá
o velho santo passeia.
Entre os flocos de neblina
e o vento que uiva à mansão,
seus passos já sem esteio
vão se arrastando no chão.

APARIÇÃO

Alguém penetrou a furto na cela escura.
Alguém tocou as tábuas toscas do assoalho.
Alguém se aproximou docemente do leito rude.

Talvez uma fímbria de luar entre arbustos,
um cálido estalido de madeira, espontâneo,
a evocação de um afago materno.

Porém o lírio da madrugada descerra as pétalas,
o véu da montanha torna-se diáfano,
a água de que bebem os pássaros transluz:

Na alcova do ancião enfermo – toda bela,
Maria.

O SINO

O sino grande
tange, tange.

Másculo escande
vozes vibrantes
nos seus descantes
de solidão.

O sino grande
tange, tange.

Na tarde escampa
com rolas brancas
voando e revoando
pela amplidão.

O sino grande
tange, tange.

Tal como dantes
aquele grande
fiel coração
do santo Irmão.

O sino grande
tange, tange.

A GALERA

Vai partir Gran Canoa.
A viagem será longa.
O ar está sossegado.
Os semblantes, severos.
Dentro em pouco a distância
não terá mais medida.
Entre o navio e a gleba
todo o mar – infinito.
Secou-se o último beijo
nos lábios – de tão secos.
Quem balbuciar pudera
a palavra, o suspiro,
a enterrar-se no peito
como nos labirintos
(ai! o fio se rompe)
esse fio perdido
que jamais se reatou?

Vai partir Gran Canoa.
Os missionários jovens
se persignam. E calam.
Sob as negras batinas
o coração lhes bate
descompassadamente.
Talvez nunca regressem
(a missão é perene)
e talvez nunca cheguem
(perigoso é o roteiro)
a essa terra que os move
do outro lado do oceano.

Perigoso é o roteiro
para a nave que sulca
esses mares enormes.
Rezam Viçoso e Leandro

olhos fixos na altura.
Lutam passando o Algarve
os vagalhões com as ondas.
Já na sombra se inculca
um navio corsário?
Já se assestam canhões
para o lado da nave?
Pelo sim, pelo não,
já se exibem solertes
os artilheiros lusos.

Vai em paz, Gran Canoa:
chegarás a bom termo.
De uma serra longínqua
à hora extrema da morte
(e que nuvens e que auras
lhe arrebatam o espírito?)
já um santo o adivinha:
chegarás a bom termo.
Sim, que os seus missionários
tão desejados, trazes,
e com eles a chave
que abre a Porta do Céu.

Vagarosa, altaneira,
distribuindo esmeraldas
à luz de nova estrela,
Gran Canoa navega.

A LUZ

Não esta luz dos trópicos, ardente,
que o arvoredo orvalhado já pressente
erguendo os ramos para recebê-la.

Não a luz penetrante que a primor
na transparência dos cristais espelha
a mesma luz louvada do criador.

Não essa luz que o nosso olhar prefira,
ávido de celeste azul safira
ou de púrpura régia ou de tons de ouro.

Nem a luz que ilumina os olhos belos,
portadores de amor, formados de elos
torvelinhando em claro sorvedouro.

Mas outra luz de tempo mais profundo,
outra, de que se mostra a leve imagem,
move as almas em flor do velho mundo
para a contemplação desta paragem.

AS PROVAÇÕES

É a montanha dos porfiosos granitos,
é a montanha das vigílias e do sono propiciatório,
a montanha viva.

O coração humano desconhece repouso.

Cada dia é mister renascer para a luta,
Sem trégua as picaretas golpeiam a rocha à procura de linfa,
os olhos queimam de sol a sol decifrando enigmas.

E quando à noite o fatigado corpo se abriga
no semitorpor cerrando a franja das pálpebras,
eis que os ouvidos temerosos se enleiam:
o uivo de soltas alimárias atravessa paredes,
friamente penetra o sagrado refúgio do homem.

Porém a lâmpada que arde na sombra pendurada a correntes
é seiva de tronco alimentando o rubor de entreabertas
[orquídeas,
é gota a gota o sangue azul a consumir-se em oblata.

Perde-se então aos poucos nas quebradas da serra
o uivo longínquo das alimárias.

O coração humano desconhece repouso.

O homem se inscreve cada dia na eternidade
com uma nova presa debaixo dos pés.

PASTOREIO DAS ALMAS

Pastoreio das almas
no campo em que amanhece a natureza
ao ar livre entre calmas
sugestões de beleza,
do céu a vista inteiramente presa.

Amável pastoreio
em que as ovelhas têm guarida
pelo vergel em meio
a pomares de fruta apetecida
ao lado de uma fonte e de uma ermida.

Um evolver mais doce
de recordar isento,
uma aura inaugural que a brisa trouxe
dá cada dia alento
a essas pastagens do aperfeiçoamento.

Teoria a que se alude
sob a sombra das árvores antigas
encontrou plenitude
e permanência em vigas
e vinhas e no alcândor das espigas.

Por que as almas se guardem na candura
das vestes primitivas
tu, Senhor, na mais pura
vida de amor cultivas
os mesmos corpos junto às fontes vivas.

Já nas águas adentro
um círculo de nácar se ilumina
e à refração no centro
outra luz imagina
não apenas humana mas divina.

Aos colóquios ideais
entre o pastor e a ovelha mais discreta,
sucede a íntima paz
quando o orvalho se aquieta
no invólucro feliz da flor completa.

A OVELHA

Encontrastes acaso
a ovelha desgarrada?
A mais tenra
do meu rebanho?
A que despertava ao primeiro
contacto do sol?
A que buscava a água sem nuvens
para banhar-se?
A que andava solitária entre as flores
e delas retinha a fragrância
na lã doce e fina?
A que temerosa de espinhos
aos bosques silvestres
preferia o prado liso, a relva?
A que nos olhos trazia
uma luz diferente
quando à tarde voltávamos
ao aprisco?
A que nos meus joelhos brincava
tomada às vezes de alegria louca?
A que se dava em silêncio
ao refrigério da lua
após o longo dia estival?
A que dormindo estremecia
ao menor sussurro da aragem?

Encontrastes acaso
a mais estranha e dócil
das ovelhas?
Aquela a que no coração eu chamava
– a minha ovelha?

O PASTOR

Sou um simples pastor
de sandália e estamenha,
meu cajado é bem tosco.
Porém dói na minha alma
cada espinho na carne
delicada da ovelha.

Dói-me saber que a doce lã
da minha ovelha se emaranha
nos carrascais espessos.
Dói-me saber que a alvura
pela eucaristia – tão sua –
cobriu-se de cinza e poeira.

Busco-a de recanto em recanto
através de todos os tempos.
Descubro às vezes o seu rastro
numa rósea gota de sangue.
Mas ela foge ao meu encalço
como se me desconhecesse.

Busco-a, no entanto, somente
para revesti-la de lírios
– a que minhas cãs imitam;
para a sede mitigar-lhe
na mais límpida fonte
(a que se juntam minhas lágrimas);
para levá-la nos ombros
aonde se encontra a vida;
para morrer – como pastor –
depois de havê-la no redil.

DISCIPLINA

Eis o decisivo marco,
o apanágio do ritmo.

Tomai vossos instrumentos
ao mesmo tempo.
Iniciai a marcha
com alma e corpo.
Medi os passos
– nem largos nem curtos –
à medida exata.
Caminhai em fila
sempre para a frente.
Perfilai eretos
e imóveis no posto.
Recebei a seiva
das árvores firmes.
Dançareis depois.

Os braços abri
em toda a extensão
para os horizontes.
Sorvei com os pulmões
a aura das campinas.
Olhai longamente
para o firmamento.
Das nuvens colhei
o gosto das cores.
Aprendei dos pássaros
o claro solfejo.
Cantareis mais tarde.

Preparai nas grutas
os destinos do homem.
Entre altas paredes
adensai a sombra

em torno a vós mesmos.
Olhai-vos no poço
sempre mais a fundo.
Impregnai-vos da noite
– relicário abscôndito
a que buscam os astros.
Então, brilhai.

AS VIRTUDES CARDEAIS

Não há dúvida – o assédio.
Nem há fugir: o assédio.
Sussurros pela alfombra
como estalar de seixos.
Resistências antigas
a trabalho de filtro
já, pouco a pouco, cedem.
E já se congratulam
graves e equidistantes
os extremos opostos.
Bem defronte aos teus olhos
como dentro em teu ânimo,
ergue-se a fortaleza.

Não te ponhas tão sôfrego:
esse fruto está verde.
Vem depois das noturnas
orvalhadas, o açúcar.
Ainda que nos primórdios,
temperança é bom gosto.

Lentidão de prudência
nos seus teares espessos.
Longos e fortes fios
teu agasalho escudem
para os últimos fins
da viagem pelo escuro.

Límpidos, os cristais.
Isso é teu, isso é de outrem.
É o carro da justiça
que distribui igual
por moedas diferentes.
E a todas as querelas
põe o selo absoluto.

Nesse ambiente de obstáculos
sem evasão possível,
as virtudes cardeais
te possuem. Por elas
teu corpo foi ferido,
teu coração, ferido.

MATINAL

Acorda de madrugada
em lugarejo distante
uma voz terna e confiada:
– Deus é grande.

Nasce das escuras pedras
uma fita de água voante
em que o arco-íris se reflete.
– Deus é grande.

As águas límpidas jorram
de banquetas espelhantes
num desperdício de joias.
– Deus é grande.

São cabritos, vêm aos saltos
esses meninos ao banho.
Como está cheia a cascata!
– Deus é grande.

O poço preto do diabo
com sua velha artimanha
fica ali perto no mato.
– Deus é grande

Os meninos que desnudos
e rosados lembram anjos
pênseis do sol à moldura
– Deus é grande –

atiram sete pedrinhas
no lameiro do demônio
sete vezes repetindo:
– Deus é grande.

O ÓRGÃO

A exemplo do Criador,
plasmou o Artista, em madeira,
sua caixa de música.
E com o cedro incorruptível,
veio a lembrança dos pássaros.
E com o negro jacarandá,
um revérbero de vaga-lumes.
E com as raízes do alto pinheiro,
o odor da malva e do musgo.

Arvoredo ou jaula?
E esse favo de mel com zumbidos antigos,
e esse tufo de orquídeas em rapto,
e a água que escorre nos desenhos do vento?

Às mãos poderosas do Artista,
soa em plenitude o canto.
(Nos seus recônditos freme
a selva. E são vivas clareiras.)
O canto que jamais se ouvira.
Do bojo seco da matéria
para as madrugadas do éter.

O CORO

Sob arcadas votivas
alvorecem espigas
em feixe contra o vento.

Para o solo se inclinam
brandamente, para o alto
com arroubo arremetem.

Ao balouço das auras
nasce, tímida, a aurora
de um azul em crescendo.

Eis que a palavra soa
nas vibrações do bronze
entre dédalos: Dómine.

Eram vinte, eram cem
a cantar? Mas apenas
um coração se ouvia.

Tudo o mais pelas foscas
alagoas do olvido
se espraiava sem nome.

Só o canto a singrar
– clara gôndola – as águas
do silêncio no cosmos.

E na esteira, a esperança
de que se eternizasse
o céu da terra: O Dómine.

PROCISSÃO

Corpo de Deus! Bem-vindo
sejas à terra pelo tempo infindo,
rochas movendo, corações ferindo,

límpidos sóis e areias
juntando ao mesmo passo nessas veias
pelas quais entre flâmulas passeias.

É a Carne, é o Pão, é o Trigo,
é a Semente a brotar do solo antigo
para acima das nuvens ter abrigo

no firmamento da alma
que arde do próprio azul, profunda e calma,
sobre os arcos de triunfo e as verdes palmas.

É o Mediador que vem
das paredes de vidro que O retém
para o encontro primevo de Belém.

É o Verbo, o Lume, a Flor,
o Beijo, o Nardo, o Bálsamo, o Amargor
do que se esquiva ao sangue redentor.

Cante, brilhe, floresça.
Fruto, no seu vergel amadureça,
mantenha – Cerne – essa floresta espessa.

Pise a pedra que O adora,
beba o olhar que se orvalha à branca aurora,
roce o musgo do peito que O namora.

HERANÇA

Ouso à sombra de Dante ao meu Virgílio
oferecer louvor com tal ternura
que me estremece a voz ao casto idílio.

Quem mergulhou um dia na leitura
do magno poeta vem transfigurado
de uma consciência límpida e madura.

Todo o valor do tempo no passado
volve de novo em raios convergentes
à lembrança de lume radicado.

Tudo emerge no plano do presente
– pronto, cálido e nítido – pelo ato
que é promessa de vida permanente.

A cada circunstância o termo exato
dá testemunho da alma que está presa
à contínua experiência do recato.

Esse conhecimento da beleza
junto à simplicidade quase rude
já sobreleva os dons da natureza.

Clássico sereníssimo! Que o estude
sempre, alguém, à noção de que é mister
entregar-se ao destino em plenitude

à maneira de Eneias para obter
a expressão que transcende esse destino
e é dádiva de sangue a um outro ser.

O verbo humano, então, se faz divino.

FORMATURA

Baga de loureiro
bacalaureato.
Erguem-se altaneiras
largas frontes claras.
Porém por que
toda a algazarra?
Corta-se ao meio
a estrada real.
Daqui por diante
fia fino:
o que obedeceu
mandará;
o que estudou
saberá;
o que se cansou
dormirá.
(Cabeças tontas,
ó vinho forte!)
Corta-se ao meio
a estrada real.
Atrás os nimbos
da Carapuça;
as moitas sobre
o Sumidouro;
as artimanhas
e consequências,
quem sabe? a férula
(mas é segredo).
À frente o brilho
de auroras súbitas:
esse diploma
de bacharel
vai dar à cátedra
de latinista,
a alguma púrpura

cardinalícia,
ou à mais alta
magistratura?
(A mariposa
descobre a luz.
Ó vinho de
bom paladar!)
Corta-se ao meio
a estrada real.
Aqui nasceu
esta consciência,
esta vontade
de amar, servir.
Aqui cresci
tão menino!
Minha primeira
comunhão...
Já os semblantes
estão suaves
sob a cortina
das lágrimas.
(Água da fonte
sob o vinho
tênue.)

IRMÃO FREITAS

Na catacumba de gavetas, do lado da Epístola,
jaz Irmão Freitas.
Um produto das brenhas nativas – fiel e rústico.
Dorme o sono perfeito.

Tinha a tez cor de bronze, os cabelos ásperos,
era talvez analfabeto.
Engenheiro de truz, construiu a estrada para a chácara.
Dorme o sono perfeito.

De um nédio sapo a que chamava "o astrônomo",
recebia com graça e proveito,
previsões sobre o tempo e seus fenômenos.
Dorme o sono perfeito.

Foi intrépido, prestimoso, agílimo.
A espingarda de jeito,
no alvo das onças nunca teve símile.
Dorme o sono perfeito.

Na sua firme diligência máscula
à realidade afeito,
tinha que as horas de viver são rápidas.
Dorme o sono perfeito.

SÃO PIO MÁRTIR

Jovem, forte, belo e santo.
Trazei flores de pétalas recurvas
à maneira de dedos em carícia
para coroar-lhe a reclinada fronte.
Trazei almofada leve – de nuvens –
para amparar-lhe os ombros.
Trazei opalas e turmalinas raras
para adornar-lhe o peito.
E um cinturão de prata com pérolas
e um manto de veludo com franjas
para cingir-lhe o corpo.
À destra colocai-lhe a espada
(a espada de ouro com que venceu o dragão).
Depositai-lhe junto ao flanco esquerdo o cálice
com a rosa líquida de seu sangue (ó dádiva!)

Em urna de cristal resguardai a sagrada relíquia
para que todos a vejam e se perturbem e emudeçam,
o coração tomado de maravilha.
Jovem, forte, belo e santo.

A VINHA

Esta é a vinha. Que vinha
me indicais? A que aos raios
do sol ostenta as louras tranças
com laços verdes, carregada
de ressumantes cachos de uva?

A que oferece momentâneo
refrigério aos sentidos?

A vinha, núcleo de delícias,
em cujo sumo se resguarda
alguma cousa além do que percebem
nossos lábios mortais?

Esta é a vinha das vinhas,
a mesma vinha do Senhor:
graciosa dádiva da espécie
para a sede infinita.

MOMENTO NO TANQUE GRANDE

Como estas águas volumosas e verdes,
guardadoras do celestial arcano,
conhecer das nuvens o nome
e silenciar.

Como estas águas violentas e represadas
a que se apegam os odores da natureza,
assistir à deliquescência do tempo
e orar.

Como estas águas profundas e quietas
que são o espelho primitivo da divindade,
contemplar a face do eterno
e abismar-se.

PASSEIO À CAPELINHA

Ei-la dentre os bosques, lá no alto.
Passai pelo pomar e a vinha.
E logo chegareis, de um salto,
à Capelinha.

Mais devagar. Não é tão perto,
e nem fácil como convinha.
Um caminho é certo, outro incerto,
para a Capelinha.

Ide margeando o claro riacho
enquanto ele enfia na linha
as contas de um rosário, abaixo
da Capelinha.

Canelas-de-ema. Samambaias.
Embaúbas. Quem adivinha
se fica ou não entre essas raias
a Capelinha?

São nuas pedras, seixos duros.
A vereda não acarinha.
E mal se sabe onde ergue os muros
a Capelinha.

Ó paisagem maravilhosa!
A alma já do céu se avizinha
ao pressentir o odor de rosa
da Capelinha.

Mas se tendes agouros maus
ou pecados – por vida minha! –
não atingireis os degraus
da Capelinha.

CIGARRA

No alto dos ramos a cigarra
faz uma estrídula algazarra.

Fundo musical de tela,
o mundo é pequeno para ela.

Canta estraçalhando cristais
de ardentes cores naturais.

O sol a pino, de escutá-la,
no auge da canícula, estala.

Semioculta entre folhas verdes,
espera a graça de a atenderdes.

Uma cigarra vale pouco
para quem tem o ouvido mouco.

CAMÉLIA

Vinde ver a camélia
pela madrugada nascida,
antes que o sol lhe tisne
a epiderme.

Tão plácida na sua intimidade. É o círculo
em que se encontram os corações. É o elo
do entendimento recíproco. São as asas
do anjo cerradas pela paz. É a pomba
que em palma oferecida pousa. A lua
que se esqueceu das nuvens e queda
em singelo convívio. O nó
macio e branco da amizade. O ninho
que se fecha sobre si mesmo – completo.

O SILÊNCIO

E só depois da terceira noite
no recesso das nuvens
ao abrigo de torrentes e burburinhos,
principiareis a ouvir o silêncio.
Não o rumor de insetos contra os vidros do ar,
nem o dos talos da planta crescendo.
Nem mesmo a bulha mínima
de rocio a escorrer em pétalas.
Mas leve aragem da mudez que precede
ao balbucio do pensamento.
Obscura nostalgia de acorde
em fios tensos de violino
antes de feri-los o arco.
Um apenas prenúncio de passos
de amorosos passos divinos
caminhando no tempo sobre impalpáveis areias
e musgos tácitos
e brancas pedras votivas.
Um como fugir do sangue
à hora da almejada entrevista.
O abandono do corpo – não à atração telúrica –
à transcendência da natureza.
E o coração da criatura pulsando uníssono
de encontro ao vivo coração do Criador.

O CARVALHO E SUA SOMBRA

Dentro da amêndoa veio a seiva.
A amêndoa na terra fofa
deitou raízes. Palpitou. Cresceu.
O tronco abriu-se em ramagens.
E o carvalho deu sombra.

Era uma sombra de outros mundos
e de tempos remotos.
Era uma sombra de suave
e envolvente fragrância.
Propícia ao brinquedo dos pássaros,
ao encontro de transidas ovelhas,
ao adormecimento das víboras.

Pairou a sombra sobre o vale.
Multiplicou-se nos vergéis.
Cobriu toda a montanha.
Arrimou-se aos despenhadeiros.
Atingiu, porfiada, a planície.
Penetrou os espessos muros
em que os homens se fecham.
Entrou em agonia lenta.

E, quando menos se esperava,
tranquilamente, na altura,
revestiu-se de verdes franças.

TRADIÇÃO

O Caraça tem diadema
de ouro que ninguém conhece.
– Mas o ouro puro da gema
traz o signo de outra espécie.

Apagou-se o rastro andejo
de Bento Godóis Rodrigues
junto aos três almofarizes
que ficaram de sobejo
quando ele para haver água
distraidamente cava
e à flor da terra descobre
mina que o salvou de pobre.

Não se sabe onde o artesão
misterioso peregrino
nos seus andrajos tão chão
como seguro no tino,
de passeios solitários
pelas brenhas caracenses
colhe barras, com a licença
de dourar os relicários.

Em jazidas ou feitiços
dorme o ouro do preto velho
que matreiro por discreto
desfruta filão maciço.
E no seu momento extremo
quer revelar o sigilo
pelos silenciosos reinos
até hoje a persegui-lo.

Desapareceu de vez
para dramático espanto
dos construtores da igreja,

às ordens do padre santo,
jorro de fulvo metal
que das feridas da rocha
aos estampidos da pólvora
emergiu – talvez do mal.

O Caraça tem diadema
de ouro que ninguém conhece.
– Mas o ouro puro da gema
traz o signo de outra espécie.

ATMOSFERA

Das lentas águas do dilúvio
que vem subindo, noite a noite,
da foice de aço que ceifa
a messe, de sol a sol,
do tempo surdo que avança
com suas pátinas
e vai roçagando mantos
por onde passa,
há que guardar para sempre

– essas paredes impregnadas
de belas máculas verdes;
esses desgastes da madeira
por tantos passos de ir e vir;
o ar solitário dessas pedras
que tantas sombras recolheram;
esse cansaço esse descanso
de ancianidades coniventes;
esse patrimônio heráldico;
esse clima de velho estilo;
essa nobreza na pobreza;
essa nave a que imobilizam
nostalgias remanescentes;
esse relógio do passado
que marca as horas do presente;
essas palmeiras já sem fruto
que apontam rotas futuras.

A FLOR DE SÃO VICENTE

Do caule esguio em pendor,
três pétalas – uma flor.

Humildade. Simplicidade.
Caridade. Ó penhor!
De que maneira se há de
aproximar dessa flor?

O gesto suspenso em meio
a um delicado tremor,
entre o anelo e o receio
de tocar essa flor.

ALÉM DA IMAGEM (1959-1962)

OS INDÍCIOS

No matiz da flor
entre cor e cor

aos filtros da seda
de furtiva hortênsia,
quando o rosa dúbio
se esbate na meia
candidez do azul,

palpita às ocultas
o calor da seiva.

Ao rapto das ondas
umas após outras

em fluxo e refluxo
tangidas, carreadas
pelos ventos vários
para além dos âmbitos
à escala das nuvens,

preside o volume
das águas oceânicas.

Através do frágil
suspiro impreciso

que do arfar dos seios
ao sopro dos lábios
– por simples pudor,
mágoa ou desespero –
quase nem assoma,

nítidas passeiam
as garras do amor.

A perfeita fluência
do instante falaz

– nota unida à fluida
coroa da música
em verdes, volúveis
sub-reptícias redes –

porventura, acaso
surpreende o perene.

OPÇÃO

Não pela torre de Babel
com zoeira de passaredo.
Não pela colina agreste
com sombra a ensombrar os vales.
Não por deleite ou delíquio
de lua longe em desgarre.

Pelo diadema completo:
pela rosa e pelo orvalho.

De coração ledo e pronto
por esse reino carrego
peso de pedra nos ombros.

ADEUS À LUA

A lua já foi bela,
já guardou no branco recesso
o nardo, a música.

Bardos por ela se perderam,
e choraram as donzelas
de Plotino, pálidas.

Emaranhou-se no próprio novelo
de doce lã, redonda e fosca,
a lua da fábula.

Não mais encarna Ofélia, a virgem louca
à procura – no seu mister – de pênseis
flores aquáticas.

Da cornucópia os filtros
de Circe feiticeira se esgotaram
por antiquíssimos.

Contra a noite – verniz de laca –
a lua simula delicado leque
de madrepérola.

Porém o circo está bulhento: a pugna
pelo avesso da lua instaura
a maravilha, o frêmito.

Acrobata, um instante: o poeta, escusa-o,
deixa-o que primeiro enxugue
uma – somente – lágrima.

ÁRVORE

Árvore, teu sinete:
Tua força na terra, as fundas garras.
Teu pensamento no alto, erecto o corpo.
Tua alegria ao vento, as folhas soltas.

Árvore, teu destino:
Essa renúncia, espírito em silêncio
a germinar sementes para o tempo.
Esse ofício de doar – doce espessura
de resina, e de sangue e de agasalho.
Essa equanimidade no viver
o puro berço e o leito pegajoso.

Árvore, teu fastígio:
Essa beleza gesto transcendente
acima do horizonte pela graça
de atar e desatar as longas tranças.
Essa beleza vinda de teu cerne,
o róseo cerne a veios trabalhado:
seiva de amor em prometida carne.

Árvore, teu mistério a surpreender.

FRUTESCÊNCIA

Em solidão amadurece
a fruta arrebatada ao galho
antes que o sol amanhecesse.

Antes que os ventos a embalassem
ao murmurinho do arvoredo.
Antes que a lua a visitasse
de seus mundos altos e quedos.
Antes que as chuvas lhe tocassem
a tênue cútis a desejo.
Antes que o pássaro libasse
do palpitar de sua seiva
o sumo, no primeiro enlace.

Na solidão se experimenta
a fruta de ácido premida.

Mas ao longo de sua essência
já sem raiz e cerne e caule
perdura, por milagre, a senha.

Então na sombra ela adivinha
o sol que a transfigura em sol
a suaves pinceladas lentas.
E ouve o segredo desses bosques
em que se calaram os ventos.
E sonha invisíveis orvalhos
junto à epiderme calcinada.
E concebe a imagem da lua
dentro de sua própria alvura.
E aceita o pássaro sem pouso
que a ensina, doce, a ser mais doce.

A FLAMA

Ferreiro, inventaste o rubro.

Teu magro rosto ferrenho,
teus fundos olhos clamantes,
teu torso de bronze oleoso,
teus punhos certeiros de aço,
tua forja, teu reduto,
são os libelos desse ódio
com que incendiaras o mundo.

Porém o rubro que ateias
dos próprios núcleos transborda
e, entre o esfuziar das centelhas,
abre-se um painel de lumes
em que amorosos enlaces
novos lábaros alumbram.

Descobrem teus olhos ávidos
os belos raptos da cor
para a forma – nesse enleio
da inspiração redentora
que propele o rito bárbaro
ao mergulho dos mistérios
em que os corações se cumprem.

Da perene labareda
surgida dentro da noite
nos rastros de Prometeu,
deslizam lágrimas quentes
que outros ímãs e outras gêneses
revelarão para o mundo.

Ferreiro, salvou-te o rubro.

VICISSITUDE

Em plena festa para o brinde
com uma coroa de estilhaços
rompe a rosa no asfalto.

De espinhos (ou da própria ardência)
brotou o sangue dessa rosa
que os escarros orvalham.

Tombada do alto em desvario
varou o azul com seus esgares
louca rosa dos ventos.

Agora repousa a cabeça
corola triste entre a ramagem
dura dos quatro membros.

Aproximai-vos com cautela
porque do transe as várias fúrias
lhe rasgaram os véus.

Não lhe façais qualquer pergunta
que neste instante o seu segredo
mergulhou no absoluto.

Se acaso a máquina do tempo
retrocedesse, tocaríeis
a ferida do pássaro.

Mas já no privativo estofo
desse país de ouvidos moucos
nenhuma voz percute.

Há pouco se apagou de vez
no reduto dos dicionários
certa palavra-chave.

E algaravias são inúteis
com que da praia as ondas rondam
o rochedo da rosa.

ELEGIA MENOR

Como reconhecer a morte?
Acaso seu aspecto é cor de cinza?
Tem cartão de visita, nome próprio?
Esperará por nós no vestíbulo?

Quando na vizinhança esteve
nem mesmo a cortina esvoaçou
à sua chegada. Foi tudo
exato e sóbrio. Que cisão perfeita
entre quem se viu escolhido
e quem ficou ainda à espera
até que porventura ela volte:

– Ia passando, lembrei-me de ti.

As folhas do calendário são leves.
Desprende-as o vento, surge uma data.
Será hoje, amanhã, depois?
É como se calasse um violino
sem mais, antes do acorde final.
Um estalo de cordas. Uma veia
que se recusa a seu ofício – tão simples.
Um olvidar as rotineiras cousas.
E um pender de cabeça mais confiante.

Depois, apenas esse dúbio
odor de flores entre moscas.

O TIMBRE

Na alta gorja do pássaro
por entre o gorgolejo
de preclaras fontanas,
eis amanhece o timbre.

Puro, tranquilo, frágil.
Às primeiras violências
da dissonância, em notas
de ouro e bronze, talvez
perca as fibras o timbre.

Sem aparente esforço,
todavia, da sombra,
para os álveos do núcleo
conduzindo o metal
– puro, tranquilo, fiel –
manifesta-se o timbre.

Esse invisível plectro
de intensidade igual
que circunscreve a insígnia
sempre dentro do escudo
premuniria o timbre:
dom de secreto orgulho.

PROMESSA

Não hoje, talvez amanhã.
Canto. Verdade. Amor. Sofrimento.
Sim, amanhã, por certo, amanhã.

Ainda não raiou o instante.
Ainda há restolhos no caminho. E demasia
de quimera a premir o mármore. E denodo
pronto a lançar o dardo. E soluços
ao desmaio das brumas. Ainda escorre
dos alvéolos o doce mel.

Mais alguns lances pelo esboço.
Leves retoques no cenário.
Céu pouco a pouco aberto em perspectiva
por que o pássaro evoque
– serenidade viva – o dom
e não o preço do equilíbrio.

Para o momento de exceção, válido acima
da contingência.
Momento que virá porventura amanhã.
Com a têmpera do azul no campo
lactescente de espigas.

CONTRALUZ

Tua sigla de ouro
na sombra compacta.
Tuas finas redes
entre cedro e cedro.

Pássaro vergel
todo à represália
transido selvagem
através do próprio
bloqueio de pérolas.

Sobre tela em fundo
presságio de nuvens
teus nervos se abatem
ágeis para a réplica.

E incides no ponto
justamente oposto
de onde vem o afluxo.

Porque sofres, cantas.

Neste campo adverso
batizo-te a fogo
frio: contraluz.

IMPERFEIÇÃO

Aqui neste verde planalto
de onde se vê de perto a aurora
romper sem névoa, apenas falta
certo sutil penhor de outrora.

Ressente-se a magna estrutura
de evanescência que a defina,
de talvez uma flor que, impura,
só desabroche dentre ruínas.

O TEMPO E A FÁBULA

O tempo farejou a fábula.
Contaminou-a. Projetou-a
talhada à sua própria imagem.

Quem surpreendera nas origens,
antes dos primeiros refolhos,
o ruborescer das papoulas?

Pelas águas em que Narciso
se reconhecia ainda há pouco
broncos sargaços se diluem.

À hora em que o verde-malva toca
as nuanças do âmbar, porventura,
já outros nimbos se formaram.

De que miraculoso arco-íris
os dedos ágeis de Penélope
teriam recolhido o zéfiro?

Porém o zéfiro que esgarça
a flor da espuma nos recifes
carrega o pólen de outra flor.

Perde-se em mares sem memória
todo o velame ao vendaval.
Mas salva-se o ânimo do nauta.

Cavalos árdegos dos montes,
ontem dormidos nas planícies,
rompem as rédeas à miragem.

E no evolver de novos signos,
com as orvalhadas já destelam
brandos casulos de ouro e azul.

Destece, ó noite, por que o dia
teça com virginais matizes
a fábula da mesma fábula.

OS ANJOS NEGROS

Os anjos negros como cantam.
São negros. Todavia cantam.
São negros sempre embora cantem.
E são mais negros porque cantam.

Urge o canto claro: é demanda
no ar em reflexos vivos e amplos.
A cruz que contra a luz se implanta
carrega na cor negra entanto.

E a fria prata em halos brancos
treme de subterrâneo pranto.

DO ORÁCULO

Nas mãos o globo repleto
de nuvens medita o oráculo.
Céu em profundo recesso
de nuvens contempla o oráculo.

Entre vales e montanhas
céleres passam os pássaros.
Breves desenhos errantes
riscam ao passar os pássaros.

Magnas letras obsoletas
queimam o rosto das lápides.
Frígido pranto de estrelas
lava o semblante das lápides.

Monta guarda peregrina
no átrio dos templos o cérbero.
A deslinde de sigilos
alheio de todo é o cérbero.

Halos de sóis e de mitos
cobrem o trigo dos séculos.
Talvez porventura o lince
rasgue a túnica dos séculos.

A noite nos seus vagares
evoca sagrados vínculos.
Volte-se à nutriz, restaure-se
a primazia dos vínculos.

Pelas enseadas futuras
para a salvação da acrópole
em sequestro com seus frutos
há que submergir a acrópole.

Paire um dia todo o acúmulo
de silêncio sobre o oráculo.
No globo em revezo, lúcido
reponte o azul. E de súbito
amanheça a voz do oráculo.

CONDIÇÃO

Fecham-se, pois, os reposteiros
do princípio e do fim.
Cessam as vibrações orquestrais
do transcendente, do inefável, do absoluto.
Longe, no vale, junto à essência da vida,
jazem os profundos anelos.
Permanece, em câmbio, o acessório:
o encontro eventual de esquina,
o roçagante adereço de cerimônia,
o trevo trêmulo na relva.

Fere-te uma palavra em tom áspero,
inclina-se teu passo para o primeiro atalho,
incide a luz em sentido oposto na tela.
E de resquícios insignificantes
transidos e turvos,
seixos, aclives, incongruências,
buscas de jogo cego no tempo,
certa imagem que te roubaram à criação,
aquele áureo punhal por trás das persianas,
a candidez obrigada a disfarce,
de acervo assim com sombras confuso
trabalhas o mapa de uma viagem sem rumo
ou seja – e mais acintosamente –
um doce tálamo para a morte.

AS LEMBRANÇAS

Mal me recordo. Era um mar
de encontros e desencontros,
com suspiros evolados
do peito aberto das ondas.

Uma voz dizia: Dorme.
E fardos como de areia
já se abandonavam dóceis
ao sabor da correnteza.

Acorda – outra voz dizia.
(Talvez fosse a mesma voz)
E sobre a faina da estiva
restavam marcas de suor.

Eram outros navegantes
entre vagas e recifes,
de dia a noite invocando
de noite espreitando o dia.

Aos balouços de preamar,
ardente dos próprios golpes,
um marinheiro cantava
apunhalando gaivotas.

Nas praias com brilho de ouro
dançavam fímbrias de nácar.
Tanto mar para esse porto
a que nunca se ancorava!

Que buscariam as nuvens
juntando-se em torno aos mastros?
As quilhas gemeram fundo
batidas do temporal.

Agora é tudo silêncio.
Salgueiros de ilha in memoriam
inclinam-se longamente
– sobre os vivos? sobre os mortos?

TEU FILHO

Teu filho acaba de nascer.

Este, Mãe, é o momento
da tua plenitude. Enlaça-o
no doce frêmito; ajusta
sua cabeça à tua, assim de orvalho
umedecida; transfunde
a febre desses largos olhos
aos olhos encobertos de neblina.
Tua criatura te pertence agora
de maneira perfeita. Face a face
ao primeiro contacto filho e mãe
são um todo carnal à maravilha:
a flor diante do espelho – o fruto
a seus próprios reflexos devolvido.

Dois elos de corrente que se parte
entretanto contínua, que se rompe,
elo sobre elo desdobrado, absorto,
um a verter, outro a sorver
– perene sangue – a música da espécie.

(O sábio dedo preme a tecla
antes que solta vibre a nota)

Que matiz sobre tela, que madeira
com seus nobres entalhes, ou que pedra
lavrada a escopro conservara
pelas efluências da beleza
o puro ato materno?

(A roca fiou a estriga e ainda retém
para remate a tecedura)

O filho é teu enquanto suga
o néctar de teu seio. E anseia
pelo teu morno arfar. E nem escutam
seus ouvidos senão o murmurinho
de embalo (sempre o limbo) da penumbra.

Ah! Todavia...

(A semente do joio
já se instala no trigo. A leve brisa
já não se aquieta entre as avencas)

Ao novo ser tacteante
tentam formas voláteis, vagos nimbos,
verdes campos pressentem
seus instintos. Em breve
(uma gota de fel)
seus vagidos, mais bruscos,
exigirão a limpidez dessa água
que não lhe deste; e o açúcar que à delícia
lhe evolve a língua em tênue véu.

No jogo do primeiro obstáculo
teu filho estranhamente
se afirmará, de vez, estranho.
E seus impulsos serão fortes
em direção contrária a teus desejos.

(O bosque, o antigo bosque
cerrado está na sombra de si mesmo
com seus acúleos entre liames)

Não te perturbes, Mãe: fizeste
uma criatura à imagem do Homem.

POEMINHA DO AMARELO

De noite o amarelo morre.

Por que de noite o amarelo
morreria se de dia
paleta de sol que escorre
com de ouro rútila auréola
trabalha através de vítreos
anteparos desde a aurora?

Na sua faina de artista
o sol com pincéis de espiga
é o próprio dom do amarelo.
Pinta num calor de incêndio
as plumas louras do ipê.
Logo por mero prazer
pinta pintainhos broncos,
pinta um por um grãos de areia
praia de areias ao longo.

Todavia sem o afinco
do dia que a cor lhe empresta
para espelhar-se mais belo,
eis que por alto e longínquo
o manancial que o socorre
morre de noite o amarelo.

AS IMPRESSÕES

Interferiram luzes quando a sombra
teria dado uma versão diversa,
de perspectiva mais profunda.
Simples riscar de lume
assinalou o transitório
feito retardo para além da esfera.

Mas é que as impressões perduram.

A areia que um momento as ondas
arrebataram regressou à praia.
O liso tronco envolto agora em musgos
tem o seu sangue partilhado.
A medalha ao reverso – e bem legível –
guarda inscrição que a identifica.

As impressões, contudo, prevalecem.

E nem o longo desmoronamento
da escarpa, dia a dia, em franjas,
e nem os nimbos que se queimam
sem apelo, cada crepúsculo,
entre os mais vivos revérberos,
ai! lograrão desvanecer
o de outros mundos frio molde
que na retina se emoldura.

– Memória do homem, superfície plana
sem viso de maturação.

ASSIM É O MEDO

Assim é o medo:
cinza
verde.
Olhos de lince.
Voz sem timbre.
Torvo e morno
melindre.

Da sombra espreita
à espera de algo
que o alente.
Não age: tenta
porém recua
a qualquer bulha.

No campo assiste
junto ao títere
à cruz que esparze
vivo gazeio
de nervosismo
com vidro moído
grácil granizo
de pássaros.

E que rascante
violino brusco
não arrepia
ao longo o azul
dos meus veludos
se, a noite em meio
cá no fundo
quarto escuro,
a lua arrisca
numa oblíqua
o olhar morteiro.

Dentro da jaula
(mundo inapto)
do domador
em fúria à fera
subsinuosa-
mente resvala.

Aos frios reptos
do ziguezague
em choque, súbito
relampagueio,
as duas forças
se opõem dúbias
se atraem foscas
para a luta
pelo avesso:
despiste e fuga
ouro e vermelho
desde a entranha.

As duas forças
antagônicas:
qual delas ganha
acaso
ou perde
o medo
frente a
frente ao
medo?

PORÉM A TERRA

Por certo a Lua. Sim a Lua
tresmalhada pelo pastor.
A Lua do medo e da espreita
da represália e da malícia
em plena gruta de cristal.
E sem olvido os outros mundos
medidos, sofridos, vividos,
nas tuas mãos de homem, na palma
de tuas mãos já sem calor
a exemplo de aços e couraças.

Porém a Terra: este aconchego
que não buscaste, estes refolhos
que não possuíste: a Terra guarda
teu próprio campo – aquele de onde,
lá bem no fundo da paisagem
por entre graves pedras tristes
no alto de um fino caule trêmulo
emerge, de cada crepúsculo,
desde séculos pelos séculos
a flor que a teus sonhos preside
– e nem sequer foi contemplada.

OS LIMITES

Nos quatro cantos do mundo
quatro anjos de sentinela.

Em sonho os homens procuram,
ao próprio destino fiéis,
infinito e plenitude
para seus vagos anelos.

O anjo da direita em guarda
nos olhos o céu e as nuvens
– Ninguém passa –
proclama com voz profunda.

Os homens buscam violentos
da força o reino absoluto
para exaurirem de dentro
as vinhas – flores e frutos.

O anjo da esquerda, fulmíneo,
do punho brandindo a espada
susta o enorme desatino:
– Ninguém passa.

Vão-se os homens à porfia
para a frente por que a estrela
contemplada a um novo prisma
novas clareiras desvende.

O anjo do norte aos influxos
de bronze da própria estátua
lumes e trevas confunde:
– Ninguém passa.

Seguem os homens à sombra
para o refúgio das ilhas
por que em solidão encontrem
a pátria desconhecida.

Mas o anjo do sul, sereno,
longas vestes, rosto diáfano,
veda por seu turno a ausência:
– Ninguém passa.

Nos quatro cantos do mundo
quatro anjos de sentinela

VINCENT (Van Gogh)

Então, Vincent imaginou
um jardim de outra espécie.
Era o arrebol e eram flores,
urzes, flâmulas, auréolas.
Eram touças e mais touças
com bruscos favos de mel.
E eis o sol girando aceso
para ver por sua vez
a própria luz que se entorna
de dentro dos girassóis.

Seria o ferrete, acaso,
(por veredas, por atalhos)
das lavras onde a miséria
chagas de fogo lavrara.

Seria a chama da vela
crestando os puros melindres
da palma da mão. Seria
o mesmo fluido das veias
em arremessos de febre
do coração para o linho.
Seria o rubor da face
rebentando pelos poros
à bofetada da vida.
Desespero de retorno
da orelha que se mutila
por ter ouvido palavra
de frio metal corrupto.
Nunca, tal palavra, nunca,
de escórias adubo fértil,
exalação de paludes
a amargar uma existência
desde as raízes vedadas.
Por que essa alma, à primavera,

de trêmulos punhos verdes
acima do solo em faustos
e taças de âmbar, em brindes
(sol, girassol, sangue, suor)
com flor de espumas erguesse
o vinho recuperador.

POEMA DE ANCHIETA

Pássaro fugido
das ilhas Canárias.
Um fio de vida
suspenso nas águas.
De longe de perto
que ventos soprando!

No mato às centenas
os bugres pasmados.
Pajé de batina
sorriso nos lábios.
Mãos brancas com o malho
na dura bigorna
o verde amainando.

No palco de musgo
serpentes pisadas.
Os santos mistérios
ao lume dos astros.
O autor às ocultas
chorando de gozo.
A terra tremendo
de tambores broncos.

No aceso da guerra
coração e cérebro
o peixe na rede
construindo – que pontes!
O tempo arrastando
na cauda de chumbo
tortuosos venenos.

Natureza viva
recendendo aroma.

Murmúrio nas furnas
prometendo fundo.
Cem anjos em fuga
com os olhos vendados.
De albores intactos
o poeta escrevendo.

Viagem de canoa
sob um sol de fogo.
Bando de guarás
um toldo formando
protetora sombra
mansa como de árvore.
O santo porfiando
– que nenhum milagre.

Léguas e mais léguas
o caixão sem peso
sobre ombros doridos.
Corpo preservado
qual planta de cheiro.
Nuvens debruçadas
numa chuva lenta.
Nosso Pai dormido
para todo o sempre.

POESIA DE MÁRIO DE ANDRADE

Poesia com a seiva dos trópicos
e a dolência da imensidade.

O solo, fermento de angústias:
quer na ascensão, quer no declive,
anseiam penhascos e abismos
por inenarráveis esferas.

Voz de trombeta dissonante
delira com a rosa dos ventos.
E a solidão recolhe o timbre
– pela pureza acrimoniosa
sem redundâncias na paisagem.

Mármore, cores, melodia
são como afogadas Ofélias.
Mas no sangue – púrpura e ritmo –
palpita o esboço das artérias.

Força do mar contra os rochedos
urge dia e noite, sem peias;
força do mar que ninguém doma
e que a fundo conhece o livre
perigoso jogo das ondas.

O mundo acerbo, sem delíquios
de lua desviando magnólias
tem o sabor e a consistência
da terra, da profunda terra
golpeada e arada pelo pulso
de onde suor abundante escorre.

Às vezes, do insondado caos
sobe um rumor de ais e soluços,
como se em grávidos percursos
rolassem rios subterrâneos.

Às vezes, animais da Bíblia
repousam na encosta dos montes,
enquanto um sopro substancioso
percorre o país do Irmão Grande.

Forma gigantesca movendo-se
em passos como que inseguros,
afastando lianas espessas,
desdenhando copiosos frutos
para seguir no azul o voo
de uma extraviada borboleta.

ALÉM DA IMAGEM

Além da Imagem: trama do inefável
para mudar contorno definido.
Ou não bem definido. Além da Imagem
treme de ser lembrança o que era olvido.

O ALVO HUMANO (1963-1969)

O ALVO HUMANO

Porventura abordá-lo.
Para além de implacável
distância.
Em meio a sombras
fráguas
delíquios.
O que de bárbaro persiste
nas entranhas da fera.
O que de promissor transborda
em trino de pássaro.
Esse contínuo revezar de pêndulos
toques a rebate
fugas
liças conjuras
arribadas
e regressões ao primitivo:
torneios de ontem como de hoje.
Quando acaso o pacto,
onde o limpo alicerce?
Tua pedra resvala,
Sísifo,
dos nossos ombros
para o abismo.
Sobre este caos tão só
à força de estratagemas
fugaz e solaz
alguma
lucilação na treva, oblonga
faceta de cristal, arco-íris
por um momento arqueado
entre dois polos:
o engano
e o desengano.

Sobre este caos apenas
de zelo e desvelo
                                        o magma
se dispõe para o mito
informe
                                        disforme
pela obliteração da forma
que anelamos a furto.
Inextricável dédalo.
                                        E sempre
do atirador para o alvo
o terror de acertar.
                                        O sobressalto
de tocar o vazio, a insustentável
flor da inocência.
                                        De prever
a saciedade à espreita.
                                        O assombro
de vislumbrar nos olhos de outrem
o aço do ódio no amor.
                                        De surpreender
a demência do santo, a inconsistência
do herói, a refração do ser
pelo não ser.
                                        A angústia
de alvitrar um deslinde
ainda que claro à custa
de sangue e suor.
                                        E sempre a tática
premonitória renúncia
para não compreender.

(Ah! compreender!
quebra de nossa própria contextura,
porta de solidão a mais.

Porém não! compreender:
linho que à mesa se desdobra
para o conviva em comunhão de espera)

Sobre este caos somente
perdido ramo de oliveira
entre longos milênios e milênios
uma seta

– Cristo –

o alvo humano

acerta.

O ESPELHO

Com maior ou menor delonga
o julgamento sem réplica.
Não diante da plateia
que de triunfo e desastre
se embebeda profusa.
Porém diante do puro
espelho. Não o tíbio
vitral movível da consciência
onde lumes e nódoas
se afeiçoam e dobras
de reposteiros se entrecruzam
enquanto ágeis dedos escondem
o último dado. Não este aço
que nos devolve o vulto
da suma aspiração capaz
de se partir em estilhaços
pelos erros sem culpa.
Nem ainda o de Lúcifer – tão belo
no seu orgulho de anjo.
                                        Sim
o refletor de nenhum gesto,
lâmina sem a mínima flor
sorriso ou lágrima. O espelho
que nos conduz ao pranto
da inanição pelo que somos.
O da origem, da intacta
essência que jamais se viu
exposta ao ar do século. O mesmo
em que se gravou certa imagem
anterior à criação
numa longínqua aurora
imemorial. Por Deus! O espelho
do que devíamos ter sido
antes do tempo implacável
em que fomos nascidos.

MERIDIANO

Sob o peso da terra
sob o rolar das águas
sob a neve nívea
longo é o Solilóquio.
Sem clareira nem réstia
que lhe desdoure o signo
dentro da noite estoica
do absoluto perdura
– diamante negro – o Solilóquio.

Porém há quanto quanto tempo?
Não há lustros nem ciclos
nem medida plausível
para aferir o tempo – eterno
mineral que resiste
à duração do Solilóquio
após o breve Diálogo suspenso.

Breve amêndoa de beijo
entre sonhos a furto
ou no jogo da esgrima
álgido toque de aço,
algo de vivo e de incorrupto
o Solilóquio perpetua
nas suas criptas de remanescência.
Talvez em função de semente
para reinício do Diálogo.

E de novo incisivo
levita num assomo o Diálogo:
aura de relâmpago cinde
céus e montes ao meio,
por amplexos abarca
frança e frança em coroa,
constrói reinos, abate-os

sem rebuços, à superfície.
Porém ao vir da aurora
da árvore já tombou
ácido fruto ao solo.

Sob o peso da terra
sob o rolar das águas
sob a neve nívea
vinga – expectante – o Solilóquio.

UMA SIMPLES TULIPA

Em musgo tenro se acomoda
o pendor da memória:
moldável flexível
giratório globo jamais
inteiramente às claras.

Agora

à distância, parece
não houve ilha em verdor
nem flauta azul à carícia.
Tudo foi entre nuvens
num tempo de liliáceas
em campo de liliáceas
transplantadas de mundos transatlânticos.
A tulipa tremia nos dedos
do enamorado – e era dádiva.
Àquele momento as cousas
se dispersavam pelas auras
do descuido.

E a tulipa

recolho-a entanto transferida
à incidência de muitas luas
bem diversa. Os matizes
são outros. A cera da memória
se amolda ao tempo. Acasalam-se
os relevos: o de ontem
se mistura ao barro geral, enquanto
os turíbulos enevoam
as formas, ai! tão numerosas
que se fundem às côdeas
deste tardo museu.

A serpe atravessou veloz a planície
entre adeuses de crianças.

Em breve

nada mais restará
do que uma superfície coberta
de areia sempre areia
sem germes sem sulcos
de que possa nascer

ou renascer

uma simples tulipa:

um respiro
uma vida
um marco
entre duas infinitudes.

ÍDOLO

Ídolo
– objeto
de vidro.

Cada gesto medido
com extrema cautela
de diferentes prismas.
Observado a olho nu
a olho armado de alcance.
Ouvido sílaba a sílaba
em línguas múltiplas.
Fibra a fibra vincado
a ouro e a ferro
no porão das galeras
e nos dosséis da aurora.

O mundo é teu, galgaste-o
como a animal bravio
nos relâmpagos da asa.
E arremetes a flor
em demanda do Graal
– fera enjaulada em círculo
a domar outras feras
prestes à represália
pela suma inocência
(esta que desabrocha
a recolher com seus linhos
o orvalho das campinas).

Logo após os aplausos
incongruentes, tão logo,
virão vaias e apupos
da multidão que freme
e te contempla louca
por sorver os teus haustos,

ouvir teus balbucios,
reter-te mais um pouco
num encontro de rua,
arrepanhar tuas vestes,
palpar teus ferimentos,
dar-te a beber (vinagre
ao fundo da taça) fruir-te,
crucificar-te, morrer-te,
para melhor sentir
o langor de teus braços
e arrastar-te depois
pelo século afora.

É de sempre, não de hoje.
Caminhas em terreno
arenoso, a um tropeço
poderás enterrar-te
na ara do sacrifício.
Pois avarenta, a glória
arrepende-se a tempo
de haver brilhado ao sol
a própria moeda:
vinga-se pelo avesso
onde o valor se avilta
– o veneno na cauda.

Ídolo
– ser precário.

PÚRPURA

Púrpura. Belo manto
em ombros atléticos. Púrpura
com pregas movediças. Ondeia
à arcadura dos braços – asas e arcos –
com voos e flechas ao alvo.
Púrpura em crescendo. O arcabouço
do peito robustece. É o carro
do sol. Calor intenso
de colheitas. Vinho
aos borbotões. Em pouco
desliza para o cinto. Cinge-o.
São as blandícies, os conluios
de uma fábula em plúmulas.

Agora

– menos púrpura ainda não infausta –
envolve os flancos com firmeza
circunspecta. De súbito descamba
pelos membros abaixo

em queda
de meteoro.

E a cauda
a alongar-se no chão de rastos
por um vislumbre de centelhas
– não mais púrpura! –
toda poeira de em torno
às próprias fímbrias afeiçoa.

IMPACTOS

Primeiro é o rapto
nas asas do anjo.
Depois o rombo
no avião a jato.
Para desmonte
dos timoratos.

Pelo que sinto
do meu contato
com a língua tomo
aniagem como
palavra doce.
Aniagem, grosso
tecido? É um simples
um mero pacto
que não atinge
campo mais lato.
Anil, tão bela
cor é senil?
Por este anelo
sutil de extrato
miro a aquarela
vejo o inexato
do termo em tela.
Senil é vil.
Que termo ingrato
de persuadir.
Mas é de fato
nato ou inato
vil entre os vis.

Ir por anfractos
os pés na ardência
sem que contenda
qualquer entreato

com a má gerência,
pisar intactos
ovos e cactos
sobressalentes
– isso é que é impacto.

Penso contudo:
o que contunde
mais nesse mundo
de tais distratos
são mesmo os atos
dos que agem dúbios
com jura aos tratos
que não se cumprem.
Nos labirintos
instiga o instinto:
ate e desate
mais do que nunca
de apoio ao tacto
de quem quer junto
de céus abstratos
seus latifúndios.

E salve o impacto!

DO ACASO

Existe o acaso, essa cousa
oblíqua que se planifica
de um momento para outro?

Uma invisível mão conduz
a peça – cavalo ou rei –
a resvalar da mão visível
para a quadra do jogo
claro-escuro de cálculos
que de um fio se apura?

Os onze atletas contra
outros tantos no baile
em que brotando da relva
a bola é o fulcro
serão movidos por seus próprios
másculos músculos,
ou prevalece uma espécie
de musgo apenso à pletora
da quase vitória que os perca?

A melodia a cantar
junto ao violão que vibra
do meu contacto
virá das cordas vocais,
dos ardores do sangue,
ou de herdados adeuses
na secreta assonância
de um acorde que acorda
em olvido a lembrança?

Porventura o fortuito
encontro à esquina
que empanou a paisagem
e velhos elos desvincula

constaria de algum presságio?
Ia por esse rumo e a rota
rompeu-se, há nova diretriz.
E ao indivíduo que se estranha
sobe-lhe à cabeça o acaso.
Será consciente de si mesmo
o acaso, ao menos?...

PARÁBOLA

Do funil dos olhos
em áscuas – o azul.

Da risada estrídula
ao rubor – o rubro.

Do vômito em jorro
– que verde – no vácuo.

Da calúnia acéfala
– o amarelo esgar.

Da injustiça em peso
– o roxo do tombo.

Do suco dos gomos
no tonel das iras
multimatizadas

– a sucinta cólera
em rolo de plexos
a rolar declives

– a neve na bola
cada vez mais álgida

– a bola de neve
cada vez mais límpida.

A LUTA COM O ANJO

Bela estranha profunda obscura
a luta com o anjo.
Sem espadas ou gumes
da espécie.
Dois vultos que se medem: o anjo
e o homem da caverna.

Antiquíssima de prístinos tempos
resiste ao degelo
a luta com o anjo.
A cada aurora se retemperam
as águias de macias asas
e bicos aduncos.
No entanto se tinge de sangue
o leito das brumas.

Luta invisível medula adentro.
Surda muda cega paralítica.
Pedra ao lago
multiplicando as ondas do círculo
que se concentra no eixo
convoluto.

Em esquálidos e violáceos emblemas
se divide a querela:
violinos e harpas
contra acídulos saxofones
pelos tantos percalços
de amor e cólera.

Ao neutro ao longo da relva
já se abraçam trigo e joio
de água e fogo justapostos:
um talhe esbelto soerguendo
o de mais peso no espaço.

Porém na luta com o anjo
toda em subsolo de reservas
para a alimária imprevisível
quando se faz ao largo o barco
levando fardos
nenhuma presa se acusa.

O anjo incólume
a outros páramos se lança.
O homem pasma. E descobre
no peito aberto em rompante
sua própria insígnia – o pranto.

AUSÊNCIA

Ausência – cousa viva
que não tarda a
morrer.
Fruto ainda verde
amarga do sangue
da ruptura a vir
ora nascitura
amanhã cicatriz.
Abafado o pomo
nas cinzas tíbias
com doces bálsamos
de tão doces um
bocado falsos
termina em fastídio.
Já não habita
o que habitara
lugar vazio
algo exposto
estofo de
mais do que vã
espera
entre franjas que ocultam
poeira ouro-velho
diante da ampulheta
de um tempo neutro
intermitente –
mente
exausto.
Ausência – vulto
do que não há
não respira
não desiste porém
do ocluso estável.
Arremedo de
presença

prístina pretensão
de ser
cousa viva
– que não tarda a
morrer.
Mas sempre tarda
no último ofego
e se prolonga
um pouco e
outro pouco
pelas dobras da enseada
em refolhos de
remordimento e
repúdio
em debulho de
ingratas lágrimas
inda uma vez
em vascas
às vésperas
de morrer
para que não chegue
a término insólito
o que é tão só
a-penas
re-
começo.

CAVALEIRO AZUL

Cavaleiro Azul
quer o campo verde
cavalo de nuvens
que dispense freios.

Peregrino êxul
sobre o campo claro
sem sinal de sulcos
prometendo seara.

Vendaval do sul
pelo campo livre
não visa desfrute
de pomos ou lírios.

Labareda azúlea
por sobre muralhas
que tem como insulto
cavalga no caos.

Contra a sombra investe
que os caminhos barra
montado em corcel
que o tempo não para.

Não busca reflexos
e nem litanias
vindas de ciprestes
que se desvestiram.

Cada hora suspenso
de outros horizontes
nem sequer se empenha
quando acaso os rompe.

Nas telas da aurora
demarcou vestígios
porém já descobre
no além seus domínios.

Por entre galáxias
cavalga absoluto
– com causa sem causa –
Cavaleiro Azul.

FIDELIDADE

Ainda agora e sempre
o amor complacente.

De perfil de frente
com vida perene.

E se mais ausente
a cada momento

tanto mais presente
com o passar do tempo

à alma que consente
no maior silêncio

em guardá-lo dentro
de penumbra ardente

sem esquecimento
nunca para sempre

doloridamente.

CORAÇÃO

Coração conheço
que desconheço.
Aquário e peixe
de sol em águas
rútilas de sol.
Crava as unhas de águia
na rocha do peito
bebendo sangue.
Doando sangue
logo em seguida
– fiel de balança.
Com força estranha
de leão acorda
e investe aos saltos
contra amuradas.
Em pouco é um tíbio
leviano pássaro
que em claros trinos
de ouro redoura
sua gaiola.
Basta uma flor
nascida entre urzes
– e é seu casulo
manancial de seda.

Desde a madrugada
até noite adentro
bate sem poder
parar de bater.
Malha a bigorna
do ferreiro, atroa
por que a vizinhança
se atordoe acorde.
Ele malha sempre
com muita prudência

sob espessos mantos
de lã de cordeiro.
Mais que lavrador
no campo trabalha
sem tirar domingo.
Sossega na torre
longamente o sino.
Só ele não deixa
o insosso realejo.

Bate comovido
por todas as cousas
e mais pelos signos
cobertos de neve.
Pela infinitude
pelo que é minúsculo.
Em compasso arrítmico
de pêndulo prestes
a entrar em pânico.

Assim desperto
é um rato rápido
que aos trambolhões
evita os becos
onde cada sombra
seria a revelha
fome de um gato.

Por temer a vida
por fugir à morte
que pressagia
está nos golpes
de seu galope,
já pontilha os pontos
do retrocesso
que de longe vem
para lá do berço

quando principiava
a se subtrair
a cada minuto
do mapa do tempo.

De tempos em tempos
redobra os ladridos
esse cão de Deus
que ficou no escuro.
Oscila vacila
de um para outro lado
contorna os enigmas
do bem e do mal
– nunca os decifra.
Esse cão sem rumo
de orelhas murchas
que não distingue
da verdade a música.

De bater não morre
mas de não bater.
E antes que ele morra
sem pedir socorro,
tenro de sofrer
rubro de cantar,
pudesse um milagre
retirá-lo vivo
do profundo peito
como um passarinho
palpitando plumas
no primeiro voo,
pudesse eu retê-lo
trêmulo trêmulo
um instante sobre
a palma da mão
com os dedos em concha.

E ao sopro da brisa
de ímpeto jogá-lo
da montanha ao vale
para que o recolham
– com riso? com lágrima? –
os anjos do acaso.

OS ESTÁGIOS

1

A arca em bronze – repleta
de vislumbres ao longo.
As safiras cintilam deslumbradas
por seus mesmos espelhos.
É uma obsessão o mármore.
O ouro no esquema permanece
estalão inflexível.
De ferro batido são as represas. Força
é demarcar facetas
quando há cristal de rocha. Desafiar
à ponta de lança o peito
da pedra que se recusa. Revolver
o cárcere dos diamantes.
Mas que: diamantes. Endurecido
é o coração que sofreu por migalhas.
Basta de subterrâneos. Basta
de perfilar para museus
a solidão da própria estátua.

2

Porém o verde habitou o espaço. O verde
de tantos revérberos à luz, de tanto
refrigério em penumbra, tornou-se
multicolor: azul e cinza, azul
e rosa, doce pervinca, velatura
de violáceas e louras tranças.
A árvore – livre – respirou.
Em bagos de uva e de pêssego
indolente pendeu.
Da madeira dos troncos

escorria resina e aroma.
Levantou-se então um sussurro
a balbuciar uma palavra
toda bela: entreflor.
A sensitiva abrigou-se dos ares
o botão preferiu morrer antes,
quando os ventos e as chuvas
em redemoinho castigaram
o reino acareado e perdido.
O vegetal é auspicioso. Mas é dúbio.

3

Após o letargo em tapetes
um meio despertar a franjas.
Formas moventes de antecâmara
ao pequeno vaivém do zéfiro
espreitam seja assim a lua o sol.
Dentro dos ninhos e das grutas
os animais são lentos e confusos.
O homem no entanto entre os demais
em sendas da memória para o anelo
como que se premune o anônimo
exercício de ser para ainda ser.

Geme se o toca no ombro uma pluma
canta por cego no topo do pelourinho.
Difícil é discernir como sombra
o gemido do cântico.
Em vésperas, longa a estiagem,
olhos nos olhos do infinito
o homem calcula de seus imos
por milésimo a essência
do intraduzível: beijos,
pactos, suspiros, lágrimas,
tremor de música sem notas,

joelhos que se rendem ao pó.
E ao fulgor de relâmpagos
pressente algum secreto encontro.

4

Aleluia. Talvez exista um novo reino
para muito além das fronteiras
do mineral, do vegetal, do animal.
Talvez a desaguar do oceano
salpicada de primevas espumas
outra aurora se faça. Talvez.
Aleluia por esse talvez. Aleluia.

DO CÍRCULO

Em torno de cada cousa
o enigma.
Na esfera de cada ser
o subterfúgio.
Ao derredor da divindade
o espaço.

O objeto com os preceitos
do exílio.
O homem com as raízes
do medo.
O céu com suas armaduras
de aço.

A peça de porcelana
– sinal de círculo.
O volume da carne
– centro de círculo.
Deus em natura
– gravitação de círculo
sobre si mesmo.

A inércia a náusea o vácuo
nos adentros do círculo.

A não ser o milagre:
a luz para refletir a forma
o beijo para conhecer o beijo
a música para indiciar o silêncio
de uma excelsitude
qualquer.

ENTREMENTES

Entrementes se pavoneiam
as cousas precárias:
o gracioso episódio
com suas centelhas
verde-azul metálico
o prematuro debulhar
de espigas.
Entrementes pingam
na ampulheta
a gota de veneno
          a gota d'água
                    a gota de mel.
O coração quisera amor
o espírito, claridade
mas o corpo enlanguesce.
Degusta-se e dissolve-se
entre o palato e a língua
a pastilha
              entrementes.
O ar é tépido, não admite dúvidas.
Grita uma voz na esquina: Aqui!
Responde o coro circular: Agora!
E o burburinho se faz bronze
enfunam-se estandartes ao vento
a fé remove montanhas
descem de seu topo as árvores
coalham-se as praças de peças
para todas as intempéries:
colunas
          máquinas
                        lantejoulas.
Entrementes
                    alguém pergunta:

Será só isso
o dia a noite
o beijo a maledicência
a música a intervalar a inópia
de nome angústia?
Porém antes porém depois!
Esse prurido
viverá tão só no relâmpago
entre dois polos
– berço e túmulo?
Ah! que entrementes
seria colher uma flor
sem a haver concebido sob a terra
nem permitir que ela se faça fruto.
Nomear a estrela solitária
vinda de não se sabe que mundos
para ignorados destinos.
Ser (ou não ser) entre parênteses
– blandiciosa bravata
destituída de essência.

TANTO AMOR

Tanto amor imaginado
em condição de brinquedo
sem atinar com o sentido.

Tanto amor predestinado
para terminar tão cedo
no brando peito do olvido.

Tanto amor transfigurado
na solidão sempre ledo
pelo tempo de vivido.

Tanto amor acobertado
pela sombra do arvoredo
para depois desmentido.

Tanto amor atenazado
cede, não cedo não cedo,
pelo que já está cedido.

Tanto amor em bom-bocado
pelo quinhão do segredo
que foi à praça vendido.

Tanto amor recomeçado
mais belo após o degredo
pela arte de haver fugido.

Tanto amor entregue ao fado
da fúria sem nenhum medo
de haver matado e morrido.

Tanto amor perfeito amado
acima de todo enredo
por jamais existido.

ESPACIAL

Solta pluma no espaço
quem sou eu?
sobre o mar e a montanha
entre nuvens boiantes
de luz a luz
aos pés de Deus
pequenez infinita.
Levo comigo um nome? Serei
mais do que um grão de areia
por ventania arrebatado
às dunas?
Guardarei lembrança
da terra abaixo
terra que a carne me feriu
ao brindar-me a rosa?
Terei pisado o ambíguo solo
terei habitado aldeia
casa de estreitas portas?
Plenamente navego
nas campinas do azul.
Apenas o tatalar das asas
do grande pássaro tranquilo
– e quem disse veloz? –
do pássaro que paira enquanto
se afeiçoam as nuvens
em novelos e curvas de moldura
às lagunas do céu
fluidez safira.

Entretanto de viés
ao primeiro balouço
a morte espreita
o grande pássaro tranquilo.
Peito voltado para o abismo
desconhece o momento

de ser tragado sorvido
manipulado pelo fogo
traído por manobra
de manivela menos dúctil.
Um deslize de esteio
tão somente
e eis o mergulho.

Aventura no espaço. Vidas
ceifadas por essa força motriz
manopla incauta
a manejar os homens.
Os que na selva pereceram
à míngua de água e de pão
os que morreram incompletos
pela decepação dos membros
os que se desfizeram negros
e endurecidos a carvão
os que às ondas lançados
para pasto de peixes
são os olhos de lince
os ardis do inimigo
as lunetas de agouro
a aguçarem da sombra.

Mas um dia (quando?)
rumo vertical
transcendentemente
subirá nos ares
a estruturação exata
solidária e fiel
não apenas dócil
nem jamais rebelde
por escravitude
não vil instrumento
mas primeiro agente
por geminação

decifrada esfinge
túnica inconsútil
não engenho mas
livre e puro voo
diretriz e instinto
complemento do homem
parte do seu todo.

SOLUÇÃO

Desamar desamor
após amar o amor.

O que amor tanto amou
sem poder desamá-lo
ao fim e ao cabo
hoje desama o desamor
pela estrela – que é beijo
pelo horizonte – amplexo.

O RAPTO

Foi o rapto pela noite
ou talvez pela rosa.
Nada em torno
nem passado nem presente
além da noite, da rosa
ou simplesmente do rapto.

Não haverá noite assim
nem florirá qualquer rosa
para repetir o rapto.
O tempo reatava liames
como de regresso à fonte.
A fonte desconhecia
aconchegada entre musgos
toda a treva e todo o rubro
sem o rapto.

Noite e rosa feneceram.
E o rapto se fez perene.

ENSEJO

Uma onda sobe à flor da praia
quando inda não havia mar.
Move-se no arvoredo uma folha:
quem viu o tênue movimento?
Dentro da noite um passo ao longe.
Alguém recolheu tal rumor?

Respira fundo a paz da ausência.

Mas noutra esfera de outro signo
bastara um trêmulo suspiro
para o rubor a alacridade
a labareda o redemoinho
a vida de viver
                        a vida!

PERPLEXÃO

Outra vez e sempre
de fora a dentro
quase a diluir-se
o ser perplexo
diante do imperfeito
de tudo e mais
alguma cousa
a querer dilúvio.
Entre o nascente e o poente
por labirintos miúdos
de alienadas paisagens
encontra (ou mesmo traça)
uma cruz aberta:
senha e mistério
de luz e sombra
no solo intérmino
semeado sem nexo
para objetos que não
os motivos em vão
propostos.
O ser perplexo
a postos.
Nem paz nem guerra.
A face, contrafação
de estrutura concêntrica
sem vinco ou vínculo
de traição, não revela
sob o véu dos alísios
se descrê se confia
no vazio do espaço
– arrimo pálido.
O corpo oscila
para trás para frente
à medida do tempo
elástico.

E o fogo já não tem
queimor, a terra
já para os longes foge
o ar é uma bruma impura
a água se estanca e seca
na própria fonte
da secura.
De súbito o ser incônscio
de perplexão troca as broncas
palavras – pedras opacas
todas tontas
uma a uma a cair
sem mais de viés
no poço do remorso
(perdão) do fim
talvez para desafiá-lo
a derramar-se pelos bordos
talvez para obstruí-lo
assim
de vez.

SIBILA

Agora é a vez da Sibila.
Ela não tem voz e canta.
É rouca mas canta.
Muda, haveria de cantar.
Canta com os nervos
com os músculos
com todo o corpo
até com os cabelos.
Ah! seus cabelos
vieram da selva
têm a idade da pedra
tombam de ramas refolhudas
em catadupas.
Quem viu o rosto da Sibila?
Quem se arriscou ao fundo do poço
à procura de humanos traços?
Talvez ela não tenha rosto:
é múltipla inumerável
no vídeo na estratosfera.
Entanto é única – estrutura
vaso comunicante
de eventos e mais eventos
que se dissolvem logo
nos aludes do tempo
(Os peixes são portados
em velocíssimas bandejas
de uma a outra galáxia).

Porém a Sibila – sílfide
cassandra ou semáforo
o que canta, o que silva,
o que anuncia, o que remorde
entre balbúrdia e balbucio
nesse idioma a pilhar
de esmaecida memória?

Não há sabê-lo: a mensagem
tem cifra e as sete trombetas
de em torno são aquelas mesmas
profusas destoantes e estrídulas
do Apocalipse. Basta escutá-las
– junto ao desmonte das ladeiras –
e mergulhar no abismo.

REBANHO

Apesar dos sete mares
e outros tantos matizes
somos um.
Apesar dos ritos múltiplos
das divergências das estirpes
da geometria e do floreio
somos um.

Na conjuntura de viver
para morrer – tão só –
quem sequer assoma
ao negro espelho sem que
todo se inscreva em negror
de cerração. Negação?
As redes do amor com suas
eivas de sempre – as foscas
malsinações –
o obscuro planejam:
ovelhas, para o rebanho.

E muito embora
ao crepúsculo recurvo
sobrelevem largos olhos
e nos longes amanheçam
lavras de ouro lavadas
de sangue e suor,
vigora o medo
de se atingir a verdade
– novo módulo –
que ao embalo da memória
para o vale nos impele
dos ancestres.

Todos procuram, ninguém

no que avulta reconhece
de bisonho
a pura lucilação
que nos levaria à fonte
à água da fonte, ao fio
do labirinto que é sede
e desistência larvar
diante de um cego
espelho
em que se anulam cor e forma
no total.

Unidos fortalecidos
eis-nos em compacto bloco
caudatários
da bronca da espessa marcha
circular.

Uma ovelha branca?
                                        Infiel.
Transparente intacta
portadora dos raios
solares?
            Infiel.

DE CONSONÂNCIA

Ágil e bravio, o impulso.
Força é resguardá-lo intacto.
Auscultar-lhe as batidas
do coração, na terra o ouvido
pelo rumor de outras bandas.
Captar-lhe o balbucio
ao embalo de vimes
sem que os abutres o cerceiem.
Dar-lhe a comer na palma
grãos de seiva.
Dar-lhe a beber o orvalho
que das manhãs escorre
ao verde-longo dos talos.
Com lã de ovelha vesti-lo
em finas franjas.
Sem sobreaviso mantê-lo
a salvo das intempéries
posto no umbral.
Não permitir que ele se engolfe
no poço dos labirintos.
Nem se fira
sua carnadura em áscuas
de esplendor meridiano.
Mimá-lo com brancas escovas,
cingir-lhe o pescoço em amplexo
(não em coleira),
prendê-lo com melífluas redes.
Então sugar-lhe sorvo a sorvo
o leite e o sangue
– para que em paz repouse
do tempo na própria lousa.

MAGMA

No todo negro
cristal da noite
o pensamento se desgarra
dos remos.
O batel atraca
longe-lento
na enseada.
Esta é a ilha do sono.
E respiras mais fundo.
É quando se inicia
o desforço do magma
em planetas moldados
por tuas próprias mãos.
No entanto és vítima.
Segues por um campo de relva
e desconheces o caminho de volta.
No castelo em que penetraste
não achas porta de saída.
O falcão que te arrebatou
vai largar-te nos ares.
Tentas gritar mas a garganta
já sufocou teu grito.
E cais, incólume, no vácuo
de onde por ti mesmo te ergues
levitante anelante
ao reino da liberdade.
Não a tua, a dos anjos
e demônios à espreita:
és tão somente o foco, a presa.
Todavia sabes que sonhas.
Trabalham-te com febre os olhos.
Todas as cores brilham na tua paleta.
Contemplas o mar e o mar se faz de púrpura.
É de seda sob teus dedos a espuma:
brancos reptis no limo.

Foges, de asco, a outras distâncias.
Aqui, pendurada ao salgueiro,
há uma cítara. Vais tangê-la.
A música, a redenção, a música!
Porém a cítara não soa.
O sonho é mudo, o sonho é surdo
às cordas trêmulas que feres
num silêncio de liso mármore.
Ou tu é que és o surdo-mudo
entorpecido estremunhado
quase agora desperto.

VERTIGEM

A roda gira
            o mundo gira
                        gira a cabeça
                                    mais que o girassol.
Em derredor de algo ou de alguém
que talvez gire em volta de outrem
ou de outra cousa mariposa
                        sobre si mesma.
Nem sabe a espiga porque giram
as asas ríspidas do moinho.
Hoje é o esteio que se abate
de chofre contra o duro solo
enquanto o grão de areia sobe
em vertical pela argamassa.
O oceano cala nos pélagos
e joga as ondas em vaivém.
Pela vesânia a mesa farta
pela vindícia a mesa parca
aos impulsos do pêndulo.
Essa girândola que pende
para a direita ou para a esquerda
não edifica em centro.
Daqui de lá dos quatro cantos
das montanhas ao vale
são reflexos que refractam
não os deuses mas os mitos.
É o provisório o aleatório
o que ainda pouco se diluíra
na miragem dos plainos.
Para voltar com novo embalo
ao velho torno da aflição.

CLARIVIDÊNCIA?

De longa viagem aporta
a clarividência.
Este é o claro país
em que a sombra fulgura
da mais antiga aurora
sobre apaziguados mistérios.
Exauriu-se a tormenta
pelos mesmos navios
desencadeada à hora violácea.
Ah! o transcurso – enigma
proposto por supostos deuses:
os que na corda caminhavam
sobre o abismo e repousam
no fundo limo dos lagos.
Assim a clarividência
veio aportar às ilhas
onde não há perguntas.
A este claro país
em que o vergel trescala
de fortuitas resinas,
em que a brisa é colóquio
(o pensamento longe ao mar)
a relva cede ao peso do corpo,
robusto é o tronco das árvores,
os pássaros ensinam música
e há um fio de água
para a sede pouca.

ENTRE O CÉU E A TERRA

Entre o céu e a terra
que fina que forte
que estranha cadeia.

Tal matiz violáceo
determina a origem
de uma sombra fria.
Ponta a ponta o espaço
prefigura o teto
de um pássaro incerto.

É delícia o gomo
da fruta pendente
no aéreo suspiro.
Faz-se o tronco firme
que ao solo se prende
pelo puro sonho.

A montanha abrupta
dia a dia pesa
no âmago do vale.
Noite longa a lua
descobre no trevo
coração e lágrima.

Contínuo destelo
do corpo para a alma.
Viagem de retorno
da alma para o corpo.

Entre o céu e a terra
que inapta rebelde
tecedura de ouro.

INSCRIÇÃO

O término de todas as cousas
– advertência gravada
a golpes de letra na pedra –
encarna o princípio de tempo
para simples retardatários:
amplexo entre o remoto e o novo.

INSÔNIA

Olhos acesos sobre o mundo
o que não dorme sequestra
a noite para a sempre noite.
A terra a invadir o mar
a terra perdida no mar.
Atalaia. Santelmos.
E oblatas para o transe.

Mas quem vem lá para lá
dos muros da cidadela?
Quem vem lá no silêncio
da fria estrela de que irrompe
a madrugada por vir?
Quem vem lá que se embuça
no perlongo das brumas?
O Senhor? O Inimigo?

Olhos acesos sobre o mundo
o que não dorme desconhece
a sua própria efígie.

DA ESPÉCIE

A rosa atrai a rosa.
Por enredos e meandros
de essência.
A áurea rosa, a fulva, a rubra,
na expectativa da mais pura.
E são vergéis convergindo
para abertas campinas
na milenar procura
de uma fórmula mágica
paradigma da espécie.
Existe a branca, a nívea rosa
de perfeição una e perene
ou apenas a imagem
que deriva do anelo?
O aroma, a seiva, a força,
eu os sinto latentes
a presumir da forma para o enleio.
E entre mil rosas consagradas
à rendição do redil,
existe a rosa selvagem
que se reclina sobre o abismo.
A que vai ao acaso
de crisol em crisol
para que brote a transcendente
rosa com que sonha a rosa.

CANTATA

Coluna aérea
que a matéria sustentas
no alto em corola.

De onde vem tua força
ó Espírito,
                de onde sopra
a aura que acorda
do outro lado do mundo
as criptas?
Tanto resistes
ao remoinho do século,
persegues a sombra,
feres a opacidade da madeira
para que ela transpire
o segredo das cousas,
em mergulho navegas
mar adentro
para que se revele
por filigrana ao menos
o mistério da vida.

Ó Espírito,
                nuvem
nítida, carregada
de água e de fogo.

Vejo-te em véus
sobre o verde dos vales,
em línguas rubras sobre
a fronte dos Doze.

Percebo teu clamor
na febre entrecortada
dos dentes.

Sei da alegria com que atinges
o cerne fibra por fibra
numa pressão de dedos
em teclas arrebatadas.
E ascendes
todavia
do sangue
para o tranquilo azul.
Sinto-te em elos brônzeos
acorrentando Prometeu
à dura rocha diante
da infinitude,
para que não regresse
à condição de mito
e homem seja entre os homens
– instrumento e penhor
de novo lume.

Ó cruz pesada,
Espírito.
A matéria carrega-te
ao longo do caminho, sobe
e desce colinas, ao largo
dos eventos, desde
a primeira vigília
para chegar a uma clareira
até o agônico estertor
para permanecer
nas brumas.

Tudo é negrume em torno
aquém e além de ti.
A estrela perde as esmeraldas
– neutro vitral obscuro.

Até que um dia prevaleces

Coluna aérea
que a matéria sustentas
no alto em corola.

BELO HORIZONTE
BEM QUERER (1972)

Recebi comovidamente, em setembro de 1969, a comunicação de que o Dr. Luiz Souza Lima, então Prefeito, sancionara a lei através da qual a Câmara, anuindo à iniciativa do Dr. Galba Veloso, houvera por bem conferir-me o título de "Cidadã Honorária de Belo Horizonte". E resolvi retribuir, de alguma forma, a gentileza da homenagem.

Assim, baseada nos antigos cronistas, principalmente no historiador Abílio Barreto, escrevi um poema em série a que denominei *Belo Horizonte bem querer*, evocando os primitivos tempos – singelos e bucólicos – da urbe agora em apogeu.

Ao ensejo da entrega do título, a 21 de julho de 1972, diante da Câmara Municipal reunida sob a presidência de Geraldo Pereira Sobrinho, após a saudação da vereadora Júnea Marise, procedi à leitura desse poema, em termos de agradecimento.

De acordo com a minha primeira intenção, de natureza coloquial, *Belo Horizonte bem querer* é um poema simples e carinhoso. Assim o tenham.

H. L.

I

Em certo planalto agreste
ao pé de montes de ferro,
ladeando bichos selvagens
ressoam botas de couro
firmes passos bandeirantes.
João Leite da Silva Ortiz
– paulista de alta linhagem –
com soberba marcha à frente.
Mil setecentos e um
dia de sol com rubis
flamejando no horizonte.
O puro açoite do vento
verga os bosques à passagem
do primeiro povoador.
Estão juncados de flores
os vargedos e as campinas
em convite aos recém-vindos.
"Ao cabo lancemos a âncora
neste oceano de verdor
por entre o granito e o mármore".
As sonhadoras cabeças
de onde o suor escorre em pérolas
já descansam sobre os trevos
de quatro folhas em meio
de pirilampos que piscam.
E o céu se fechou em círculo
ao derredor do Cercado.

II

Brancos pardos pretos índios
de mãos dadas em ciranda
de vencida palmo a palmo
vão alargando o Cercado

desde o Serro das Congonhas
às plagas da Alagoinha.
Erguem tendas e cafuas
soalho de terra vermelha
colmo de leve capim.
Nessas várzeas recortadas
de veios e fitas d'água
fazem o gado pascer.
Multiplicam as sementes
e as raízes da lavoura.
Léguas em torno são glebas
para o trabalho e a riqueza.

Minas Gerais, este ponto
de alfinete no teu mapa
vai mudar-se numa estrela.

III

Vinde ver o resto dos troncos
– braúna sucupira peroba
canela angelim caviúna –
decepados para ripas e caibros
da fazenda de Ortiz.
Vinde ver os esteios
de engenho paiol senzala
e da casa-grande de Ortiz.
Aqui celeiros refertos
de cereais – ouro puro
para defesa da usura.
Ali o gado de corte
– mugem bois na boa engorda –.
Lá está o gado leiteiro
– leite escorre em lua cheia –.
Além o rancho de tropas
prestes a rasgar a noite

pelo vir da madrugada.
Mais longe a primeira leva
de embuçados estrangeiros
para o que der e vier.

No meio da intensa faina
pelo alimento do dia
a esperança do amanhã.

IV

Alguém se ajoelha no barro
finca as primeiras estacas
prepara os tijolos, seca-os
e levanta quatro muros
que recobre de sapé.
Eis o primeiro santuário
erguido na fé cristã
para que Nossa Senhora
da Boa Viagem proteja
dos nômades habitantes
do verde Curral del Rei
tantas idas e venidas
pelas grotas e sertões.
No pequeno templo rústico
outro alguém se ajoelha e implora
– tantas luas vão passando! –
por aquele que demora
a regressar das andanças.

Do alto a lua com o véu solto
veste a igrejinha de noiva.

V

Nesse anfiteatro aberto em leque
ao pé das serras entre chilros
de crianças e de pintassilgos
ai que miragem de pomares
para os pecadilhos da gula.
As mangas pendem das ramadas
corações à flor da epiderme
em meio a corações parceiros.
As laranjas – taças de vinho
com bagos de mel. Os pêssegos
doce premura de veludo
seivosa trinca para os dentes.

VI

Então chegou o homem do fisco
para assuntar a feira e a féria.
E conta e cunha e fisga o fisco
tributo imposto taxas quintos
tantas arrobas tantas libras
quantas cabeças e negaças
turras pelejas e confiscos
escaramuças e condenas.

E lá se vão para o Reino
as mais gordas espigas.

VII

Vinte e um anos passaram.
Ortiz se inquieta. É bem pouco
para o aventureiro nato

no queimor da madureza
ser nababo e estar em paz.

"Vida para que te quero
senão para o desafio
dos meus poderes virtuais
diante das forças fatais.
Entre o virtual e o fatal
construirei pontes e engenhos
arcadas de ouro e de ferro
para passear entre nuvens
novos anelos mais altos."
Adeus, Ortiz, boa viagem
de volta para São Paulo
do teu São Paulo a Goiás
de Goiás a Pernambuco
e de Pernambuco à morte.

João Leite da Silva Ortiz
eu te saúdo na glória.

VIII

Francisco de Souza Menezes
afeito aos malhos e às bigornas
tem fundição de ferro e bronze.
Firme no posto noite adentro
no comando das labaredas
tanto mais firme o dia aceso.
Sua fama chegou à Corte
e cortesmente a Corte o chama
para que o veja o Imperador.
"Que é que deseja como prêmio,
ó Francisco ferreiro?"
E ele corado pela forja
e novas brasas: "Majestade,

nada fiz para merecer
qualquer recompensa de fato
mas o título de Capitão
me agradaria". "Que assim seja,
meu Capitão Souza Menezes".

IX

Antônio Luiz de Avelar
com dedos de algodão e lã
vinte e oito fusos e seis teares
montou indústria de tecer
para encanto da redondeza.
Tece que tece! Minha ovelha
está em ponto de holocausto
inclina a cabeça à tosquia.
(Ouço os tinidos da tesoura
ou são as cordas de um violino
cortando o coração da gente?)
Tece que tece, maquininha,
meu algodoal está bailando
a dança dos flocos voadores
e os véus são sete vezes brancos
ao rosicler da madrugada.

X

Vibram notas em pleno acorde
pela cidade do futuro
com impulso tão firme e forte
que à distância ressoa a música.
Seriam badalos argênteos
de sinos ao vir da manhã,
algazarra de adolescentes
às voltas com o jogo do malho,

palmas em torno de alvanéis
à hora de levantar cumeeiras,
ou instrumentos de uma orquestra
à procura do diapasão?
Pelo porvir todo o alvoroço.

Ergue-se então coroando a festa
o oráculo de Dom Viçoso
numa visita pastoral:
“Será pleiteado dentro em pouco
por altos preços a metro,
o chão deste lindo arraial”.

XI

O trono cai. Viva a República!
Abaixo o nome desse burgo
chamado de “Curral del Rei”
à falta de melhor batismo.
Já no Clube Republicano
vai José Carlos Vaz de Melo
propor e expor alternativa.
Mas o nome predestinado
ocorre a mestre Luis Daniel.
E o que decreta João Pinheiro
(calendário doze de abril
mil oitocentos e noventa)
nos enternece por decreto
de devoção amor orgulho
e tudo mais: Belo Horizonte.

XII

Belo Horizonte belo nume
de claridade em amplitude

vasta clareira de vergel
braços abertos em rompante
retouça em círculo painel
de aéreos arco-íris em bando
fortes cavalos cavalgando
arquibancadas verdejantes
à luz do cristal em dossel.

XIII

Que aconteceu? Que aconteceu?
Alguma cousa nunca vista.
Acorrem todos ao terreiro
onde se erigiu por instâncias
do Velho João Evangelista
a capelinha de Sant'Ana.
Parece milagre: os esteios
de boa aroeira desabrocham
em ramalhetes e guirlandas
cobrindo as paredes e o teto.

A compassiva Padroeira
escutara ao pobre esmoler
as preces tocadas de pranto.
E assim o salva dos apodos.
Na colina envolta de bênçãos
a gente em coro: Quem merece,
– alto proclama alçando a vista –
quem mais merece entre nós todos?
Evangelista! Evangelista!

XIV

A ideia veio de remotos
tempos. A ideia veio vindo

pingo de chuva na vidraça
logo fios resvaladios
embrião semente tenro broto
palpitação de trepadeira
para ganhar maior impulso
– de outra feita alçarei o voo
e saltarei além do muro –.
A ideia vem com pertinácia
recua avança mais um passo
as vozes têm eco à distância
rodopia a rosa dos ventos
o sol que a doura é uma promessa
e eis que um dia de verde luz
a ideia é uma corola aberta:

A Capitania de Minas
deve ter nova Capital.

XV

Padre Agostinho Paraíso
leva o pensamento ao Congresso
(mil oitocentos e vinte e um).
Homens de barba, circunspectos,
estão reunidos no cenáculo
em duas frentes: pró e contra.
Voto a favor da transferência.
Pois voto em contrário. Voto
pelo sim. Pelo não. Pelo sim.
Pelo não. Pelo sim. Pelo não.
Ai que a discórdia continua.
Mas jogo de xadrez é cálculo.
E fica suspensa a sessão

enquanto a ideia sobe à torre
e espreita o relógio da lua.

XVI

Muitas luas se sucederam.
Muitos dezembros e janeiros
o carro da vida levou.
Os estadistas já são outros.
A ideia volta, aperta o cerco,
elos de bronze na corrente.
Entre as vozes que fazem coro
nessa cantata de esperança
soa a voz de Augusto de Lima
com límpidos reflexos de ouro.
E em breve alvissareiramente
resolvem as alas de cima
decretar a lei da mudança.

XVII

Pra Barbacena, Paraúna,
Várzea do Marçal, Juiz de Fora,
Belo Horizonte porventura?
Qual delas ganharia a láurea?
São cinco insignes engenheiros
para cinco localidades.
Cada engenheiro põe afinco
ao desbravar sua partilha.
Vem para aqui vai para lá
mede a altura acima do mar
a média da temperatura,
com minudências esmerilha
o solo o subsolo a atmosfera
a chuva orvalhos e vapores
a latitude a longitude
o ímpeto dos ventos reinantes
o volume e a espécie das águas
a seiva e a dimensão dos plainos.

E a beleza dos panoramas
(o anjo dos azuis pergunta)
não entraria acaso em pauta?...

XVIII

Tem a palavra no Congresso
Doutor José Pedro Drummond.
"Excelências, em manifesto,
escolhamos Belo Horizonte
por motivos de geografia
razões de climatologia
interesses de ferrovia."
Seus argumentos vão tão longe
que os mais renitentes se abalam.

(Quem por dever, enfermo e pálido,
de cadeirinha surgiria
para votar? Antônio Carlos)

A estrela guia a nave dessa vez:
mil oitocentos e noventa e três.
Viva Drummond alto e bom som!

XIX

A alegria é uma taça de vinho
a transbordar de vinhas e vinhedos
pelo arraial afora.
São crisálidas
em rodopio de metamorfose
os fogos os rojões as aleluias
do sino, o riso das águas
saltitando sobre os cascalhos
o relincho dos potros

batendo os pés na dura terra vermelha
o frêmito dos ventos na várzea
as colchas voando pelas janelas
com longas franjas em cachoeira.
A alegria é um metal de sangue
a enrusbescer e a aquecer o corpo.
Os que na rua se atropelam
com abraços de labareda
áscuas no olhar safiras na alma
terão nos lábios até mesmo
o sabor da alegria
– o sal das lágrimas.

XX

A tarefa é dura.
Aarão Reis comanda
pela investidura.

Roçar limpar destocar
vencer capoeiras hirsutas
nivelar a área escavá-la
para os edifícios públicos.
Cantaria e alvenaria.
Tijolo de faces planas
tijolo de quinas vivas.
Pedras de peso e rudeza
com argamassa de areia.
Revestimento a cimento
ou a cal se for o caso.
O emboço pode ser áspero
o reboco será liso.
Madeiramento de lei
para rodapés e soalhos.
Forro de saia e camisa
cimalha de abas e frisos.

Madeira com filamentos
ao comprido
para portas e caixilhos.
Coberturas e vidraças
a capricho.

Tanto quanto a faina
o gosto se apura.
Aarão Reis comanda
pela envergadura.

XXI

O presidente vigente
e o futuro presidente
viajantes do trem de lastro
chegam tarde e acordam cedo.
Às raias do alvorecer
estadistas em serviço
já vêm eles a cavalo
por ladeiras e vargedos.
Passam pelos matos densos
da avenida Afonso Pena
(perdão, uma via anônima)
entram na esplanada, cortam
a avenida Bias Fortes
(um atalho sem batismo).
São simplesmente dois homens
calmos lúcidos e firmes
em incursos de inspeção.
E logo nos escritórios
olham mapas topográficos
estudam planos geodésicos
a escrituração (perfeita)
de despesas e receita.
A novos cometimentos

sem rodeios nem desníveis
montam outra vez e a trote
vão cansados mas felizes
Afonso Pena e Bias Fortes
– o presidente vigente
e o futuro presidente.

XXII

Firma-se em cada construção
o alicerce da Liberdade

Fica na colina do centro
o Palácio da Liberdade

Abrem-se para os quatro cantos
as janelas da Liberdade

Todos os caminhos circulam
em demanda da Liberdade

Trêmulos arbustos se inclinam
diante da flor da Liberdade

Espáduas humanas sustentam
os mármores da Liberdade

Palpita em cada coração
o pássaro da Liberdade

Auréolas pairam sobre a cruz
na escalada da Liberdade

XXIII

Um vulto de realce
de espírito irônico
de lunetas de ouro
de cerradas barbas
e quem sabe louro
esse Camarate
nascido em Lisboa.

Colabora assíduo
no jornal local.
Fala com humor
de umas velaturas
vermelhas que o barro
(do chão, da soalheira?)
lhe deixa na cútis
que seria clara.
E assina com nuanças
Alfredo Riancho.
Empreiteiro técnico
luta com afinco
a favor da estética.
Tem olhos de lince
para as cores. Louva
a paisagem, lírico,
sensível ao lustre
que recama as folhas
ao perfume agreste
que vem da floresta.
Entrementes pode
com solicitude
reger uma orquestra
e compor um solo
para a banda. É um músico
um demônio da arte
esse Alfredo Camarate.

XXIV

Vamos, bem querer, acorda!
O despertador desperta?
É o silvo da "Mariquinhas"
que estremece ao vão da porta
e invade a janela aberta
com seus fluidos de flautim.

Ao trabalho, está na hora!
A manhã nasceu coberta
de magnólias no jardim.
"Mariquinhas" de sinuosa
ginga sobre os trilhos férreos
como uma boa menina.

Parece ter muita força:
dez vagonetes carrega
do Acaba-Mundo ao Bom-Fim.
Mas se vai dobrar o morro
numa curva quase quebra
tanto afina a cinturinha.

XXV

Passam em ordem os carneirinhos
cabeça baixa vão para a escola:
rechonchudinhos agarradinhos
de calça e blusa livro e sacola.

Assustadiços nos dedos contam
conta difícil três vezes quatro.
Guardam na língua respostas prontas
nomes concretos nomes abstratos.

Os carneirinhos do alto (são nuvens)
– que diferença desses da fila –
caminham soltos brincam volúveis
sem campainhas. Que maravilha!

Sempre em recreio rolam nos ares
andam na bola do mapa-múndi.
História pátria não estudaram
nem geografia nem cousa alguma.

Carneirinhos que vivem na terra
carneirinhos que moram no céu.

XXVI

Que música se ouve
nas primeiras noites
de remota lua
pálida de amor
quando prima e primo
quietos se debruçam
no alpendre da casa
e aromas deslizam
dos ramos em flor?
Uma valsa.

Que música irrompe
do teclado puro
do primeiro piano
à hora do sol cálido
quando as almas jovens
entre sesta e susto
entressonham raptos
pelos verdes bosques
que talvez nem saibam?
Uma polca.

Que danças em pauta
nos saraus do tempo
dos lampiões a gás
quando se inauguram
bairros funcionários
desembargadores
quando assoalhos tremem
sob pés dançantes
e entre risos meigos
os noivos de aliança
tímidos se enlaçam
pela vez primeira?
Mazurcas polcas e valsas.

XXVII

Crepúsculo de outrora
e crepúsculo de hoje
no mesmo horizonte.
Olhos de outros tempos
não mais o contemplam.

Floração de ciclames
estrelítzias anêmonas
glicínias e violetas.
Amálgama boiante
arquipélago solto
nos alagados do éter.

Flóculos de ardência líquida
ametistas topázios
esmeraldas safiras
as cores uma a uma
auras de ouro e cristal
em aluviões de lume
aureolando o rubi.

O redivivo, o efêmero,
o coração perene
de finitude em finitude.

XXVIII

Uma cidade se levanta
do solo às nuvens.
De atalhos parte para avenidas.
Do caos se amolda à geometria:
triângulos quadriláteros círculos.
Uma cidade sobe dos prados
para o lombo das serras.
Destrói choupanas e constrói
arranha-céus.
Forma-se de colunas firmes
e fúlgidos vidros de sol.
Protege-se dos ventos e deixa
que a umidade a abandone.
Uma cidade é imperativo
a um tempo humano e desumano.
Palácios presídios
asfalto cavernas
elevados e subterrâneos
teia de virtudes e crimes.
Uma cidade é sinfonia
com ásperas dissonâncias.
É um ser total de osso e carne,
tem nervos, músculos e sangue:
o sangue de seus habitantes
os nervos de seus habitantes
a própria força e fraqueza.

Uma cidade segue o ritmo
ágil ou tosco de homens.
Fala pela voz de criaturas
imperfeitas e insatisfeitas.

Cresce das mãos dos operários
canta pelo timbre dos poetas
define-se no porte dos guias
espairece no afã dos atletas
explode na estridência das máquinas.
A expressão de uma cidade é múltipla.
A beleza de uma cidade é instável.
Sua grandeza é limitada
à fronteira mesma das cousas.

Uma cidade se assemelha às outras
porém se a amamos é única:
tem a forma de um coração
traz nosso aroma predileto
é a paina do travesseiro
em que repousa a nossa fronte.

Belo Horizonte bem querer.

REVERBERAÇÕES (1975)

Aos Poetas
Linguistas
Lexicógrafos
Professores
e Amantes
da Língua Portuguesa

a interpretação
– ou sugestão
dos substantivos
que mais me impressionam

H. L.

REVERBERAÇÃO. Ato ou efeito de reverberar; revérbero. Persistência de um som num recinto limitado, depois de haver cessado a sua emissão por uma fonte.

REVERBERAR. Refletir (luz ou calor).

REVÉRBERO. Reverberação. Luz, ou efeito da luz refletida; reflexo. Lâmina metálica ou espelho que aumenta a intensidade da luz concentrando-a em certa área.

Novo dicionário Aurélio

A palavra possui uma vida dupla. Ora ela cresce como uma planta e produz um acúmulo de cristais sonoros: então o começo do som vive sua própria vida e a parte da razão permanece na sombra. Ora a palavra se põe a serviço da razão: o som deixa de ser onipotente e absoluto, o som torna-se "nome" e executa docilmente as ordens da razão. É uma luta dos dois universos, das duas potências, que prossegue sempre no seio da palavra e que dá à língua uma vida dupla: dois círculos de estrelas cadentes.

Khliébnikov

ACALANTO

O trêmulo da água
na fonte
aos ouvidos da noite
insone

ACONCHEGO

Chamamento
de colo fofo
quando o fruto
sucede à flor

ACRIMÔNIA

Agressivas unhas
arranham
sem piedade
os véus da lembrança

ADORNO

De madeira um toro
indo ao torno
sob condição
de bom gosto

ADVERTÊNCIA

Reverso
do divertimento
de extenso verbo
para o cliente

ALCANTIL

Muito acima
de todo alcance
o alvo do mais alto
se encontra

ALICERCE

Ali cerce do alto
discurso
um profundo
sentido oculto

ALMA

Etéreo véu
diáfano e solto
para a levitação
do corpo

ALVÍSSARAS

Manhã de abril
a carta a vida
esvoaçar de cortina
alvíssima

ALVITRE

A proposta
com altivez
mais sugestiva
sem por quê

AMOR

Amortecer
pelo infinito
para a duração
da carícia

ANELO

As águas límpidas
beber
até saciar
a antiga sede

ANGÚSTIA

Em torno
a clausura do roxo
e um ressaibo de fel
à boca

ARGILA

Da liga frágil
se credita
às ágeis e hábeis
mãos do artista

ARGÚCIA

Cérebro afiado
firme pulso
contra escaramuças
agudas

ARREBOL

Bola que o arredor
enrubesce
dando voltas
de rosicler

ARRIBADA

Rir de riscos
e de rescaldos
depois da viagem
terminada

ASSOMBRO

Súbito assomo
da ciranda
do nunca visto
vindo aos trancos

ATMOSFERA

Algo de mistério
que fere
em alamedas
de cipreste

ATROPELO

Momento atroz
estar em pelo
falando pelos
cotovelos

BADALO

Da platina
o tintinábulo
abrindo caminho
às claras

BALBÚRDIA

Baile estúrdio
o da juventude
à vez de substituir
o adulto

BÁLSAMO

Ondas oleosas
de calor
do olhar aos olhos
que namoram

BALUARTE

A bela natureza
da arte
sem nenhum outro
sustentáculo

BAMBOLEIO

O samba em cheio
bom de ver
a compasso bambo
de enleio

BERLINDA

Levada aos ares
a mais linda
num cromo
que perdura ainda

BLANDÍCIE

Lembrança de açucena
triste
modulada voz
em surdina

BLOQUEIO

Sem ar sem luz
sem voz sem vez
o bloco que
ficou no meio

BREVIÁRIO

É de lavrar
no alento diurno
o verde vale
que dá frutos

BROCARDO

De broncas raízes
o cardo
na voz contínua
vem à baila

BÚSSOLA

De estrela
claros olhos lúcidos
que a gôndola espreita
e consulta

CADÊNCIA

A graça das ondas
do mar
meneando escalas
musicais

CALABOUÇO

Adensados rolos
de estanho
em subterfúgios
subterrâneos

CALAFRIO

Corda suspensa
sobre o abismo
entre o fascínio
e o desafio

CALENDÁRIO

Calada floração
fictícia
caindo da árvore
dos dias

CANDELABRO

A luz em fluência
de cascata
lavando as pálpebras
pesadas

CARAVANA

Sofredores juntos
avançam
por entre areias
e savanas

CARISMA

A dádiva do céu
caríssima
embebe a túnica
do crisma

CASULO

A seda azul
acaso ondula
no corpo
em natureza pura

CELEUMA

A cólera levada
a extremos
no estremecer
dos próprios nervos

CENÁCULO

Sombra de sagrado
recinto
em que os convivas
se humanizam

CHILREIO

Grácil granizo
de chaveiros
espalhando beijos
brejeiros

CÍRCULO

Ponto por ponto
a alma persiste
no sinal do retorno
à origem

COLGADURA

Ao longo um manto
todo negro
do enforcado
com seu segredo

CONSOLO

Aroma de sândalo
antigo
no frasco azul
que se esvazia

CREPÚSCULO

Vagos crepes roxos
se ofuscam
aos prenúncios
de um mundo oculto

DÁDIVA

Alegria doce
de doar
o inteiro coração
sem cálculo

DECORO

Perfeito ajuste
entre o corpo
e a alma altiva
que o coroa

DELÍQUIO

Derreter
das últimas lágrimas
até que se desfibre
a lápide

DELÍRIO

Ondas deletérias
se agitam
em flóreas láureas
de mentira

DESALENTO

Um reposteiro
bem pesado
cerra-se ao longe
com vagar

DESDOURO

A penúria
desde que o ouro
fez ilustre
a seu portador

DESESPERO

Contra o golpe
de frágeis pulsos
o volume
de espessos muros

DESÍGNIO

Firmes passos
acometem
linha torta
linha reta

DESMONTE

O horizonte
se desmorona
enterra-se
a última vergonha

DEVIR

Adivinhe
o limpo cristal
o que é de Deus
se for capaz

DISCIPLINA

Aplainar de fragas
difíceis
na defensiva
de princípios

DISCÓRDIA

Ao coração
dizendo sim
o não da mente
por acinte

DISLATE

Soma de irracional
e ingênuo
alto dizendo
e mal dizendo

EMPÁFIA

Saltam pipocas
na panela
saudando o rei
da passarela

ENIGMA

Indecifrável nume
esquivo
na esperança
de que o decifrem

ENLACE

Nasce da latência
do tempo
cada dia
a aliança perene

EPOPEIA

Poder que opera
sobre-humano
portões de ferro
arrebentando

EQUÍVOCO

Por visgo
de lábil deslize
a gangorra em foco
do juízo

ESCALADA

Lá vai
entre o gelo e o vapor
à frente do herói
o impostor

ESCÂNDALO

De fato escande
até na cauda
alto e bom som
notícia tal

ESMERIL

A mesma polidez
se esmera
em mil ridentes
bagatelas

ESTIAGEM

A branca mornidão
da paz
estira longe
o próprio fardo

ESTIGMA

Assinalado
desde o berço
a ferro em brasa
sem apelo

ESTÍMULO

Eis o cálice
cujo vinho
preliba
o sabor prometido

ESTIRPE

Timbre de metal
de elo em elo
a estimular
novos anelos

EXÍLIO

Sentir-se único
em meio à turba
premida de alvoroço
estulto

EXPECTATIVA

A fruta ainda
não madura
à hora em que saliva
a gula

ÊXTASE

Gozo de exaurir-se
confrange
na exaltação da mente
em transe

FÁBULA

Fato abolido
não por falso
mas pelas variantes
da pátina

FACETA

Perfil faceiro
e minudente
explicita
o aspecto da frente

FALÁCIA

Fala-se fácil
de falência
na festa dos
maledicentes

FILIGRANA

De finos dedos de ouro
raiam
as fímbrias de um desenho
abstrato

FLÂMULA

Visível tremular
ao vento
fragrância de queimor
adentro

FLORESCÊNCIA

Flamejante estuar
de corolas
à força dos ventos
em volta

FRAGMENTO

Pedra de toque
dos inventos
em fratura
e fracionamento

FRÊMITO

Ao fruir de um beijo
inesperado
o rompimento
da fermata

FRONTEIRA

De fronte erguida
em frente à história
o direito
que hoje vigora

FROUXEL

A mensagem frouxa
do incerto
em deixa de pássaro
ao léu

FULGOR

Olhos cintilantes
de alerta
ao fascínio
da descoberta

GABARITO

O rito
não para gabar
de ser pobre ou rico
alto ou baixo

GAIOLA

Escola de pássaro
em trinos
sempre mais alados
e livres

GALÁXIA

Nos galarins
do céu mais alto
graça de clâmide
que esvoaça

GARDÊNIA

Em guarda
o delicado exemplo
da forma ideal
para o deleite

GÁRGULA

Ressalta o grotesco
da fauce
nos claros goles
vomitados

GLÁDIO

O ziguezague
de relâmpago
dos gumes glaciais
no escampo

GLEBA

De leiva a seiva
é glória humana
palmo por palmo
planta a planta

GLICOSE

A língua deliciada
glosa
açúcar de uva
dose a dose

GOIVA

A meia-lua
corta e ajeita
moita de goivos
na madeira

GRINALDA

Nas grimpas
do primeiro idílio
brincam de roda
as albas líricas

GULOSEIMA

Açula a boca
por engodo
como também
pelo bom gosto

HERÁLDICA

Alta nobreza azul
do espírito
em céu de estrelas
intangíveis

HOLOCAUSTO

Cenário em que o mártir
exausto
prolonga a luz
dos olhos castos

HORIZONTE

Alma em suspiro
pelo encontro
do que fica
sempre mais longe

IDEIA

Lampejo idêntico
ao da lâmpada
a iluminar
os quatro cantos

IDÍLIO

Mira de delícias
e paz
em confirmação
de mãos dadas

IDIOMA

Pulso a reger
o som maior
na execução
do puro amor

INOCÊNCIA

Um hino
que carece de algo
a transcender
de imaculado

INQUÉRITO

Abertas queixas
a granel
de bem me quer
a mal me quer

INTEMPÉRIE

Intento
da sorte pérfida
por ver se o homem
desespera

INTERVALO

Entre dois valos
o silêncio
do pretérito
para o além

INVESTIDA

No acesso de
romper as vestes
não se intimida
do insucesso

INVÓLUCRO

Introito
que avaliza e aventa
o inviolado valor
de dentro

ISOLAMENTO

O só na sua
soledade
sem um lamento
que o defraude

JACTÂNCIA

Ânsia insofrida e
desabrida
indo a jacto
para a conquista

JANGADA

Jogada pelas ondas
lá vai
sem conhecer
a quem se salva

JAULA

Aula de instrumento
de ferro
que gera a fúria
e engendra a fera

JOGRAL

De jiga-joga
por sinal
o viver de graça
no palco

JOIA

Céu a joeirar
a luz da estrela
safira a colher
seus reflexos

JORNADA

Em jogo e em jugo
o suor da face
que o justo salário
não paga

JORRO

Força impetuosa
com que arranca
de fundos arrochos
o sangue

JÚBILO

A girândola
juvenil
na glória
do perene espírito

LABAREDA

Língua a abalar
do globo a rede
em festa de lábaro
ardente

LAIVO

À laia
de cousa malfeita
um pingo de lacre
na letra

LAMÚRIA

Lá onde mugem
bois cansados
muda elegia
inenarrável

LANTEJOULA

Toucar de ilusório
lampejo
que adula
tão somente o espelho

LAREIRA

Cálida estela
de ternura
em que arde o rosa
e treme o azul

LAUREL

Halos e palmas
ao renome
sobre o real valor
à sombra

LETARGIA

No leito em sonho
cor de cera
a morte ao largo
se esqueceu

LEVITAÇÃO

Voar de leves
neblinas claras
nas vacâncias
da madrugada

LIBÉLULA

Bela liberta
porém breve
na dança que em voltas
inscreve

LISONJA

Toda se esbanja
em branda espuma
quase de graça
cousa alguma

LITÍGIO

Lícitos ou não
os limites
o trigo na campina
oscila

LUMINÁRIA

O trêmulo da ária
na sala
em lume de aura
musical

MAGMA

Amoldado à marcha
do tempo
de maleável
a consistente

MAGNITUDE

Postura de estrelas
e deuses
na imantação de
altura e peso

MALEFÍCIO

Com pés de lã
meio no escuro
más intenções
ofício espúrio

MALÍCIA

Mal que desliza
em linha curva
para sugerir
uma dúvida

MANANCIAL

Inesgotável
abundância
de fé no abalo
da montanha

MANSARDA

Nada de mansão
nem de farda
quatro paredes
malfadadas

MARASMO

Estado de asno
em mar parado
sem água nenhuma
e sem praia

MARAVILHA

Se o cego visse
o sol que brilha
falasse o mudo
o surdo ouvisse

MEDULA

Essência de veludo
a pincel
para o relevo
que modela

MIRADOURO

Da morada em sossego
no alto
o mundo em torno
contemplar

MISERICÓRDIA

Junto à miséria
sem limites
crisol
do coração sentido

MONOPÓLIO

Monstro que nos braços
recolhe
todo o cabedal
da metrópole

MORDAÇA

Aço mordente
o peito rasga
sufocando
o grito da raça

NÁCAR

A joia nívea
feito nata
em róseos tons
a luz refrata

NAUFRÁGIO

Espuma frágil
que se espalha
após o mergulho
das naus

NÁUSEA

O mal-estar
aos golpes baixos
com o vascolejo
de alto-mar

NÉCTAR

Sorvo entre o paladar
e a ideia
pela ebriedade
de outras eras

NÓDOA

Voo de pensamento
negro
nos campos níveos
da pureza

NOSTALGIA

Viver e pressentir
à antiga
todo o acre-doce
do tardio

NOVELO

Envolvimento
de elos orlas
linhas e lãs
em quem se enrola

NÚMENO

Meta inumana
sem a imagem
conceber a ideia
do nada

OBSTÁCULO

Obcecar-se
pelo espetáculo
dos óbices
de pedra e cal

ÓCIO

Emoliente vagar
escorre
na boca aberta
em forma de ó

OFERENDA

Nas oficinas
do silêncio
a alma se perde
por alguém

OLVIDO

Em fofas almofadas
brancas
o lírio
sem o viço de antes

OPULÊNCIA

Opalas
pérolas diamantes
palácios
e outras petulâncias

ÓRBITA

A ordem curvilínea
do orbe
para estalão
de astros e de olhos

ORIGEM

Uma virgem raiz
anônima
gerando o mesmo
que consome

ORVALHADA

No vale ao sol
fluir de cristal
no claustro à sombra
alvor de lágrimas

OUROPEL

Apelação de ouro
na pele
quando a castanha
não destela

PAISAGEM

País que aos olhos da alma
se abre
em retábulos
de miragem

PECULATO

Lento pecado
feito ao largo
do tempo em que a arca
foi vigiada

PENUMBRA

Pela veneziana
ao sol-pôr
vulto indefinível
sem cor

PERFÍDIA

Perfilar-se
na tentativa
de perfeição
para a mentira

PERIPÉCIA

Em perigo
o enredo da peça
com o personagem
fora do eixo

PERTINÁCIA

Percurso de aço
que transborda
das argamassas
proibitórias

PETARDO

Dardo de peso
contra a pedra
ao braço tardo
dilacera

PLATAFORMA

Forma de partir
para a vida
no ajuste a planos
concebidos

PLENITUDE

Mergulho em plenilúnio
azul
quando o real
sobreleva a tudo

PREÂMBULO

Cerimônias
e reticências
nos âmbitos
do mais ou menos

PRESSÁGIO

Ágil ponteiro
provisório
precede as marcas
do relógio

PRIVILÉGIO

Flor de primeira
estirpe egrégia
a privar
do jardim da inveja

QUADRILHA

Quadris em fuga
de contínuo
de ladrões
e de bailarinos

QUEBRANTO

Estranhos olhos
que maltratam
quando olham
ou deixam de olhar

QUEIMOR

Ofensa física
no rosto
a arder no peito
com mais dor

QUIMERA

Naquelas épocas
primárias
cavalgar a fera
da fábula

QUIZÍLIA

Distância entre ilhas
                                        que se atritam
lançando à espuma
                                    seus detritos

RAPTO

Rasgo
            que atrela alguém às nuvens
rápido
            a arredar quanto surge

RECESSO

Fechar-se unindo ao seio
                                                as pétalas
de rosa
            à carícia do zéfiro

REDOMA

Dar a ver
                de um cristal redondo
o que se defende
                            em redobro

REFRIGÉRIO

Da janela
                em gesto de entrega
fruir o frio
                alor da neve

RELENTO

Lento repouso
sobre a relva
a noite em orvalhos
aberta

REMANSO

Onde se encontra
o ermo propício
para a amenização
do sofrido

REMORSO

Morrer por causa
de haver feito
o que mata
de não fazer

REPRESÁLIA

De águas soltas
a águas represas
a representação
da defesa

RESSALVA

Talvez uma salva
de prata
a ressarcir
conta amigável

RETORNO

Tocar de volta
o mesmo porto
e perceber
que algo está morto

RETROSPECTO

Olhos antigos
que reformam
discordes
o aspecto de outrora

RIBALTA

Bem no alto o rebrilhar
das luzes
a fim de aplausos
ou de apupos

SALVAGUARDA

Guardar o sal
para outro ensejo
antes que se naufrague
de vez

SARABANDA

Séria saraivada
de zangas
no mesmo sarau
em que dançam

SARCASMO

Na curva de escarninhos
lábios
o brilho do verbo
em navalha

SEMBLANTE

Plácido espelho
complacente
para os olhos
que o olham de frente

SENTINELA

Dentro da noite escura
o alerta
para o mistério
que desperta

SEQUESTRO

Sestroso péssimo
arcabouço
de covardia
com denodo

SÉQUITO

Seguir o rei
por toda parte
antes que a coroa
lhe caia

SIGILO

Lago opaco
porém tranquilo
que não ondula
à superfície

SILÊNCIO

Notas musicais
em repouso
branco a esconder
as sete cores

SOFISMA

De somenos
o falso prisma
com que o sôfrego
se habilita

SORTILÉGIO

Sorte de sortilha
ou de breve
que muda a sina
e a sorte leva

SUBORNO

Sob esse estofo
surdo e morno
ocultação
de moedas de ouro

SUBSÍDIO

Sinal de acerto
ao sacrifício
que não consegue
restituir

SUSSURRO

Dúlcidos segredos
miúdos
de poucos sons
urdindo muito

TABELA

Painel que simula
ou revela
conforme tendências
secretas

TALUDE

Antes de atolarem
os pés
meio caminho
para o pélago

TANGÊNCIA

Sino em transe
de estremecer
a um ligeiro toque
de dedos

TAPUME

Tranca de tábuas
na trapaça
de escurecer
o que não tapa

TÁTICA

Estratagema
ideativo
que vai por atalho
à conquista

TÉDIO

Poeira e mais poeira
no estágio
em que asas plúmbeas
se arrastam

TELEPATIA

Sem ver alguém
de quem se aparta
sentir-lhe o coração
que bate

TÊMPERA

Metal candente
a frio impacto
pela afirmação
do caráter

TENTÁCULO

Polvo que trata
de usufruir
na garra
o tutano da vítima

TRANSPLANTE

Em novo regaço
umectante
renasce uma flor
cor de sangue

ULTRAMAR

Lá longe além
de ais e mergulhos
os mundos do
lápis-lazúli

UMBELA

Meia sombra
junto a uma bela
inflorescência
de aquarela

UMBRAL

Abrir de porta
à hora fatal
de extinguir-se
ou ressuscitar

UTOPIA

No topo do
mais claro dia
somente o inexistente
existe

VÂNDALO

Num vendaval
de ódio e de inveja
contra o lavor
que mais se preza

VARANDA

Amplo nas landas
da lembrança
o cômodo
da casa-grande

VERGEL

Na tela
das primeiras chuvas
o verde
refletindo o azul

VIANDANTE

Na via aberta
da esperança
o vulto que vai
para diante

VIGÍLIA

À luz que espia
a noite longa
nenhum vestígio
de abandono

VILIPÊNDIO

Aviltação
da vil tendência
a que se prende
o delinquente

VINDIMA

Hora prima
de conhecer
o veredito
da promessa

VIOLÊNCIA

Violando
todas as vigências
o rubro aos jactos
de repente

VITÓRIA

Viva e transitória
alegria
pelo vingar
das cicatrizes

VOCÁBULO

Som azul-claro
que trescala
de uma caçoula
em espiral

VOLUTA

Volteio flóreo
em miniatura
tornando a coluna
mais dúctil

XADREZ

Quadriláteros
que pressionam
vagares e delitos
do homem

XAILE

Ondular de franjas
em baile
de realce à esbelteza
do talhe

XÍCARA

Doce carícia
que se trama
entre os lábios
e a porcelana

ZÉFIRO

Ao roçagar
do véu que treme
leve arrepio
na epiderme

ZUMBAIA

Zumbir de abelhas
em oferta
de excessivos
favos de mel

MIRADOURO (1968-1974)

O que em mim contempla produz o
objeto de contemplar.
Plotino

MIRADOURO

Topázios do crepúsculo.
Grandes nódoas lívidas
e lúcidas
de sol em bruxuleio
ou sol nascente.
Lusco-fusco em revoada
de paina à solta.
Luz liquefeita em bolhas
para cá para lá – boiando.
Auréolas de fugir e de rever
em sucessivas mutações.
Gestos que se abrem e se fecham
pelo engodo da sombra
para a vida das cores
desde a angústia às raias
de uma nova miragem.
Formas sonhando formas
outras formas
de novelo em novelo
numa praia de céu
– areia espuma.
Contorno exato da insolvência.
Constelação de humano pranto
em trajetória
– da infinitude do aspirar
às barreiras do conhecer.

VISLUMBRE

Terra vermelha aos punhos.
Este é o módulo: terra.
Tom sobre tom de sangue e sépia
à flor do barro.
E de permeio o mogno
a madeira do cerne
a gema do ovo.
                    Em torno
às manchas de ocre dos galpões
os violáceos rochedos
do anoitecer a sós.

Como de ardósia um lume
pelo painel se infiltra
a serviço das sombras.

Soldados de carne e chumbo
ombro a ombro transidos
entre fumaça aos rolos?
Penitentes, acaso, rebotalhos
por um óbulo de ternura?
Troncos em trauma
esses espectros
de um mundo vão
atentam mudos para o alto
por força à espera
de que surja da nesga
em metal vislumbrada
pelo menos apenas
um som
          de flauta.

ESTRELÍTZIA

A Yeda Prates Bernis

Assim te vejo, flor
de bravura, aportada
do continente negro:
Pássaro de asas estalantes
a rigor o estridor
dependurado em gancho
frente a frente ao cavalo
estreleiro que empina
o pescoço no empeço.
Labareda violácea
a trepar pelo morro
entre flamante e azul. Cortando cerce
pelo fio do lombo. Este cravelho
que dos postigos vai zarpar
para o outro lado – pelo sol.
Grito de aurora ecoando
surdamente no esconso
em jogo de cristas.
Agressivo florete à luta
de estrela a estrela por lampejos
e latejos de sangue onde bicar.
Ao despertar dos galos
açoite contra açoite no fustigo
de cruzadas e rumos
em discórdia ancestral.
Madeira ao fogo de rebentos
árdida seiva. Sal no fogo
a crepitar em chispas. Puro fogo
de guerrear e vencer.

PERSPECTIVA

Longelua, como foi
que te sonharam os poetas
na parca visão de outrora?
Eras suspiro de nácar
eras intangível pétala?
Agora que te achas nua
no cosmo, que te pisaram
os homens com seus sapatos
e que os sábios te escalpelam
as rochas e outros entulhos,
talvez nunca mais te vejam
com o mesmo dulçor meus olhos
a contemplarem de esguelha
o que não há. Longelua...
Tão apenas Veralua.

PÁSSARO

I

Pássaro rápido
no espaço diáfano

Quem o viu? Passou.
Cortando o céu
tesoura célere
seta minúscula
argênteo azul
no imenso toldo
todo azul.

Pássaro frio
na mira de algo
jacto imprevisto
que à vista do alvo
se arrisca.

De encontro aos vidros
do etéreo logo
a estilhaçar-se
– diamantes e riscas
de fogo.

II

Um pássaro cantou
no ermo agreste.
Que pássaro foi
este?

Não o pássaro branco
na escalada
das núpcias.

Não o pássaro azul
nos longínquos
da beatitude.

Não o pássaro de ouro
nas ardências
da noite.

Pássaro anônimo
a enunciar
no seu entono
em desalento
a inexistência
de outro pássaro.

III

Pássaro insano
esse violino
que se arvora em domínio.
Lume espada
fere e larga
toma e embalsama
ressuscita e mata.

Pássaro insano
capaz
de vencer paredes
com seus nervos de aço,
de atingir num átimo
o puro azul,
de enredar os céus

de véus e de asas
para de improviso
descer abismos
de despojamento
em deleite
lento.

Pássaro de som
insano humano
finito infinito
para sempre ouvido.

ÁTRIO

No circuito azul
entre róseas névoas
um triângulo verde.
Não mais do que átrio:
campo de mosaicos
painel de azulejos.

Aqui no vestíbulo
à falta de chave
adequada à porta
um ar de sigilo.

Não há quem desnude
do umbral para fora
motivo ou pretexto
do azul frontispício
dos rosados flocos
do esboço verdoso.

E os olhos que miram
pesquisando enigmas
ardem de tão frios.

CICATRIZ

O transeunte traz
no rosto uma cicatriz.
Um sinuoso gilvaz
talvez por motivos vis.

O rosto era de tão belo
talhado para navalha.
E fímbria de lua em duelo
de lâminas o retalha.

Hoje o rosto de ira e anelo
tem arrogâncias viris.
Secretamente mais belo
com esta flor de cicatriz.

EMBLEMA

Esse volátil arco-íris
que se desprende pelas asas
de multipássaro e enlaça
pela cintura terra e céus

esse versátil arco-íris
meio anel ligeiro laço
a desatar-se a perder-se
nos ermos da nostalgia

delineia porventura
– fluídico emblema pálido –
aliança mais duradoura
de outra vida noutro espaço.

SÍNTESE

Apanhei-te em flagrante
ó lógica selvagem.
Tenho-te em mãos pela raiz.
De tuas cores ofuscantes
fiz uma corola nítida
pétala a menos calidez a mais.

PAINEL

Na tela negra os brancos
cavalos galopam.
Ancas patas e caudas
níveas leves e soltas.
No sonho na mente nos montes
de espesso negror
na noite no abismo nos antros
da negritude maior
os cavalos brancos
ostentam soberba
no mais puro idioma.
Vieram das planuras
da selvageria
para as altitudes
onde brotam lírios
modulando corpos.
Para outras mais altas
peregrinações
transitam da tela
nos ombros do insólito
a espaços abertos
pelo tempo inúmero.

DIVERGÊNCIA

Pedras e mais pedras
umas contra as outras
em divergência.
Pelo campo das ovelhas
há quem mate e quem morra
de acrimônia.

Bruscos braços de roseira
cada qual a seu sol
por defender uma rosa
dos ventos.

O INSTÁVEL

Pousa o pássaro esquivo
sobre o galho. E voa.
Vã teoria segui-lo
pelos ares à toa.

À tona d'água a espuma
sobe. E se desvanece
em bolha entre as dunas.
Mas logo recomeça.

Um desenho na mente
aponta. Vem depois
um outro sub-repticiamente.
E perdem-se os dois.

Qual seria o substrato
(sem memória) do instável?...

TEORIA

Amor acima do tempo
quem o teve já não tem.
Amor que os dias consomem
– claro – merece outro nome.
O que precede ou sucede
não foi nem é de ninguém.

Ai, camélia que desmaia
cortada de manhã cedo!
Amor nas ondas da praia
dura o que espuma entre os dedos.
Já no recesso dos vales
é morto de sombra e peso.

Amor que se vai às nuvens
no campo não tem raízes.
O que na relva dormita
de melhor fruto descuida.
O que sobe e o que não sobe
éter e limo os dissolvem.

O SER ABSURDO

Inscreve-se na linha do humano.
Viaja galeras imponderáveis
acima das nuvens.
Sobre o campo dos famintos
atira flores.
Em auras vertiginosas
além da lua
quer novos prismas.
Para não ver o que há visto
ensurdecer às súplicas
não mais sorver a tragos
o estranho sabor do século?
Lá na planície os homens
se entredevoram. Que importa:
se encontra a salvo.
Humildes enfermos e velhos
se encolhem nas grotas.
Tanto faz: o ser absurdo
– por direito de escolha
ou por viso de humano –
toma o carro do sol.

TRANSMUTAÇÃO

A chuva sobre o campo. A flor
de encontro ao coração. O vinho
da verdade no cálice.

Ó assombro ó fascínio
de quem sofria de cegueira!

(Era a sede era a fome
era o anelo incorrupto)

Então sucede
em alçar de matizes ainda ao longe
por vales férteis a perder de vista
e doces lagos que balouçam cantando
e desertos em êxtase lunar
o mais que tudo irreal
dentro dos mundos definidos:
a paz.

JOGO DE REFLEXOS

À vista ingênua
das primeiras neblinas
o mundo em cores:
na madeira de ébano
a ardência do bronze,
na água em repouso
os floreios da árvore,
nos olhos claros
a suma do céu.

O belo, o falso
jogo de reflexos.

Pois ao alvitre
de um novo prisma
nada se adentra
nos cegos meandros
da luz opaca:
nenhuma insígnia
no ébano espesso,
ramagem alguma
no aconchego da água,
de céu nem sombra
nos olhos de cinza.

Ó NATUREZA

Ó Natureza: força e travo.
Sorvo-te o ar desde antes
do amanhecer na terra
a cada respiro.
Bebo-te a água nascente e antiga
ora nas mãos em concha
ora em cristal.
Intrépida ou vacilante
piso-te o chão – colina e vale –.
Alimento-me de teus frutos
acidula-me o verde.
Aquece-me e queima teu fogo
dádiva e ardil entre nós.
Estou em ti estás em mim
nesse mútuo sofrer
em que eclipse me traz colapso,
nessa defensiva ou jugo
em que tento aliciar-te.
Tu violenta eu capciosa.
Natureza, mestra, inimiga,
que me ensinas amor e rebeldia.
Entre nimbos encarcerada,
pelos astros liberta,
sinto-me parcela em teu corpo
de unidade comigo.

FLAGRANTE

O rosto emerge da cisterna
pálido rosto de cinza
com uma auréola apenas visível
ao redor dos cabelos.
Há o verde dos olhos, o terno
olhar tocado de ironia.
Há doçura interior subindo
como se o rosto fosse
de um medroso menino.
Entanto a aragem de malícia
quase travessa que o adorna
de nebulosas reticências
é bem o segredo de um homem.

Algo existe atrás desse rosto
para o meu lenço de Verônica.

APRENDIZAGEM

A Maria Alice Barroso

Não apenas olhar   mas ver
ao infinito   num segundo
certo rosto sofrido   e ardente
boca cerrada   entre dois vincos

Não somente sentir   mas apreender
ao mais profundo   o ponto mínimo
que em trajetória   sem retorno
faz do destino humano um círculo.

CONFRONTO

Em relâmpago os bárbaros
no espaço.
Passo a passo os tímidos
no tempo.

Sob os pés dos vândalos
as pedras arrasam-se.
Do chão limpo os pacíficos
erguem torres bíblicas.

Os rebeldes, de árbitros,
destroem os ídolos.
Os dóceis, na dúvida,
valorizam as órbitas.

A fibra dos bárbaros
a astúcia dos tímidos.

EQUILÍBRIO

Estar não estando
no riso e no pranto.
Possuir sem domínio
dentro do possível.
Ser de si o oposto
sem deixar de ser.
Imóvel movente
que só por angústia
de tempo resvala
para achar o fluxo
do plectro em refluxo.
Pendente da sorte
do ímã da força
dos próprios recuos,
o pêndulo pende
mediante a tangência
de eflúvios
                    que estuam
adversos
                à inércia.

ESSA CHUVA

Chuva triste. Vejo-a
desfazer-se em cabelos
sobre os ombros da noite. Escuto-a
a açoitar os telhados. Sinto-a
contra os muros em busca
de uma razão de ser:
sem alicerces.
Nem mesmo ausência nesse outrora
de chuva antiga.
A vida chora por dentro
os membros oscilam caniços.
E sempre a chuva
essa chuva
sobre a cidade
sobre o mundo
sem lembrança a agarrar
do enublado do vítreo
do embuçado por neutro
do incolor do inodoro
do informe do inacabado
do interrompido às raias
do que o homem roubou à natureza
em diamante e verdor
de tudo quanto se ofuscou
entre quatro paredes
do descravado à cruz
sem memória de tempo
do inoculado à luz após
o hausto final.
A vida chora
o rio sobe
a chuva desce
e a criatura se funde
ao desamparo

de uma lavoura inútil
– alma a arrastar-se
déu em déu
corpo insepulto
e morto.

DO ENCONTRO

Os riscos do encontro:
as paredes
em moita.
Altas baixas
frágeis espessas.
Crescem decrescem
vão desabar sustentam-se.
Dividem a música
o ambiente as quimeras
os vaivéns do tempo.
Dividem tudo:
amargor-doçura.
O que une, logo o subtraído
a cada dia gota a gota,
é o que separa:
declive.
Ao simples contacto apontam
as entrelinhas
tornam-se mais árduos
frente a frente
os campos.
Onde lucilação havia
paira agora a bruma.
Gestos palavras e atos
não premeditados nem bruscos
serão tijolos
a encorparem o muro.
De eras redivivas
ameaçam surgir
num ápice
outras sonegações
outros limites.
Os riscos do encontro:
a cada qual
um novo cárcere.

AMOR

Um nome pode dizer tudo
ao clarão do crepúsculo.
De maremoto e terra sáfara
de vergéis e de pétalas
de antigalha e antigozo
de princípios e fins.
Um nome pode dizer tudo
de derrocadas e auréolas
de fruições e renúncias.
Um nome no ar no azul na areia
a respirar deserto e oásis.
Em auras de ira e de ternura
um nome com sabor de tâmara
em quentes lágrimas turvas
suspenso inscrito lacerado
entre as nuvens e o caos.
Um nome pode dizer tudo
se teus lábios o calam.

PLUMA

A pungente doçura
de uma pluma
na minha palma
entre os dedos e o pulso.

Pássaro sem canto
a refugiar-se do horizonte
não prisioneiro ainda.
Coração nascente
trêmulo e intenso pálpito
entre o voo e o ninho.

O pulso lateja
na ânsia de retê-lo.
Mas os dedos se abrem
para libertá-lo.

DECLÍNIO

Declinam as auras
que estiveram no auge.
Estancam-se as águas
que abalavam rochas.
Os áugures fogem
que moviam numes.

Que força subverte
sem recurso as auras
as águas os áugures:
balanço e repúdio
de gestos incautos
ou simples querela
de rebentos outros?

O certo é que as auras
já não mais ofendem
e as águas e os áugures
sumiram no tempo.
No tempo que exorta
demitindo auréolas
denegrindo expostos
soçobrando espectros.

PENSAMOR

Como pesa pensamor
moeda de ouro em minha palma
sem que o perceba o doador.

Como é leve pensamor
ao peito que se abre em palma
para a seta que acertou.

MOMENTO

Entre os sondados cílios
entornando ternura
de águas foscas – a dúvida.

Mas dos trêmulos dedos
ao marfim das delongas
num relâmpago – a dádiva.

O MITO

Brilhou de súbito.
O ser primeiro
a regressar do etéreo.
E tornou-se o centro do mundo.
Para ele convergiam cintilas
diamantes troféus
curvaturas de arco-íris.
O coração batia célere
e os olhos dardejavam úmidos
de contemplá-lo.

Por que foi que empalideceu
quando foi que empalideceu
como se longo reposteiro
o interceptasse?

Da distância mal o percebo
sem adeus sem lágrimas
pálido
          pálido
                    pálido

O DOM

Esse dom de prever
o imprevisível de uma
certa forma nenhuma

De elidir o visível
ao sol quando à penumbra
o invisível explode

Esse dom de sofrer
outra vez o sofrido
só por mais limpidez

De principiar após
o término de tudo
sem ter chegado a cabo

Esse do reflexo mútuo
é o dom de quem mata
do que morre

MUSICAL

1

A íntima corda de metal
não tocada pelo arco
docemente estremece
nas dobradiças do eco
o som tangente à superfície
que se faz interior.

Coração: viola d'amore.

2

As cortinas ondulam de ouro intenso
para um refúgio de ouro tenro.

Uma onda cede à outra, o ar cede ao ar,
desliza a areia na ampulheta. É hora?
É cedo ainda? É tarde? Não se sabe.

Duas gotas de orvalho num bemol.
Viola d'amore: coração em dobro.

3

A água do tempo escorre
em declive. Escorre
ininterruptamente
sem vínculos.

A viola d'amore se infiltra
no espaço. Amolda-o
em som dúplice
em forma unipétala
onipresente
através da lágrima.

4

Viola d'amore: O dom
da vibração em consonância.
Tom sobre tom
de persuasiva transparência.

O de longe vem para junto.
Passa do real para o inefável.
Nem antes nem depois: segundo
que nunca mais de coincidência.

Sem resposta ou pergunta
em quietude reposto
esse breve consenso
amoroso amorável
é um quase nada sim
de quinta-essência.

5

Viola d'amore. Resististe
contra o tempo – de séculos –
sem sequer um soluço.

E hoje à arcada imprevista
voltas intacta e incólume
do mar de fluxo e refluxo

em frêmito e acordo – salva –
pela magia de um acorde.

6

A nata a gema o sumo
a safira o alabastro o sol
o ar a magnólia o sândalo
a confidência a contemplação
o trêmulo da viola d'amore

DEPOIS DA OPÇÃO

Um reposteiro o mais espesso
caia sobre a tragédia dos Andes.
Os que a viveram não falem.
A língua que provou a carne
de seus irmãos emudeça
da mais humana miséria
para não se desnaturar
e sem remédio
depois da opção.

Em estátuas de pedra
se transformem os seres
que amargaram a ponto
de negação a si mesmos
          imprensados
entre o vulcão do sangue
e a geleira: fantasmas
caminhando brancas nódoas
negras hóstias em travo
depois da opção.

A dor de quem viu palpou
compreendeu e perdoou
o que a si próprio não
se perdoaria é covardia.
Heroica é a dor dos que sofrem
não pela fome ou sede ou frio
ou cegueira que sofreram
mas pela crua memória
do jamais deglutido
nos desvãos ruminando
entre a alma e os ossos
depois da opção.

DO SENTIMENTO

Quem o lograra?...
O SENTIMENTO:
sem espera nem desespero
sem audiência nem distância
sem preconceito nem defeito
sem resquício nem perspectiva
sem meio-tom nem alvoroço
sem dependência nem dádiva
sem languidez nem amargor
sem análise nem disfarce
sem angústia nem incúria
sem mácula nem obstáculo
ardente e lúcido
nascente e completo
integral e intacto
múltiplo e único
perfeito e humano
quotidiano e infinito.

O EXCEPCIONAL

É teu filho. Carrega teu sangue
nas veias. Leva tua imagem
no rosto. Belo
anjo rebelde,
puro
anjo anunciador.

Terá talvez vinte anos
a flux. Vinte anos
de insolência e inocência
de torpor e de espanto.
Mas de fato não conta
senão cinco: é uma criança
perene, secretamente.

Ardem seus olhos de uma luz
de fria indormida estrela
entre cerrados musgos.
Olha e não se sabe o que vê:
a pátria dos que não têm pátria
a despedida do porvir
a miragem de quem ficou
destituído de algo
que antes de ser já foi...

A seus moucos ouvidos
todas as palavras são vãs
no auge da compulsão,
no escaninho da lábia.
E para que palavras
se a música interna envolve
a canção anterior ao nascimento
e ao ritmo das águas vindo
imemorial para o tempo?

Caminha sem pejo, desnudo
incógnito isento incônscio
do bem e do mal. Sua cabeça
gira-girando aos horizontes
no alto mastro às escuras
é um santelmo – indicia
mas ignora o perigo.

É cego quem o reconhece
tão só no sorriso alvar.
Esse menino perdido
em meio à turba que o rejeita
e subtrai de remorso
a remorso em cadeia
é o deus menino por acaso
encontrado no templo
– intacto de todo o efêmero.

LAMENTO DO SOLDADO MORTO

Sob o lajedo entre flores
de matizes ardentes
numa esfera de sonho
fora do tempo jaz meu corpo.
A morte nivelou-me aos mortos.
Sou apenas um morto. Não mais.
Que significa o monumento
entre a cidade e a praia?
A maciez dos gramados em torno,
a chama perenemente acesa?
Estou só de solidão absoluta
à feição de um morto qualquer.
Era belo e fremia. Nas espáduas
o vivo amplexo dos vinte anos.
À frente o mar que eu cortava de espumas,
acima o sol que se espelhava em meu rosto.
E de repente veio a noite.
A viagem para o caos. Tragou-me
do outro lado do mundo
a terra que eu mal pisara.
Acaso terá sido o fuzil do inimigo
a manobrar de cócoras?
Teria eu algum inimigo na sombra,
eu, coração repleto de música
sem nenhuma surdina?
De nada sei agora ancorado a um porto
a que os mapas não se referem.
Ao longo dos meus restos, no entanto,
entre as neblinas de âmbar do subsolo,
visitantes passeiam.
Uns contemplam as letras
de certo nome sob a minha lápide.
Outros, sonâmbulos culposos,
forjam palavras pelos dentes.
Doces mulheres sem amor

sem para chorar um filho
tênues suspiros refreiam.
A mim que importa? Nem o pranto
por milênios do oceano
me devolvera um só minuto.
Um minuto! E eu pudera ter libado
naquela mesma tarde em pomar italiano
as primícias de um fruto níveo-rosa
que entre sorrisos namorados pendia
quase maduro de desejo.

VISÃO DE PORTINARI

Num relâmpago o céu
coalhado de anjos.

Não auréolas nem mitos.
Porém blocos oblíquos
de topázios cortando
azul intacto
em réstias.

E nem asas:
flocos de lodo branco
ressuscitados do poço,
resíduos de êxodo com nódoas
de lepra e cães,
anjos de escória, os anjos.

Anjos de São Francisco esquálido
tangido pelos quatro ventos,
pele e ossos, o caule
de terra deitando terra
com raízes e brotos
no éter.

Nos galhos da árvore sem sombra
corujas broncas
em pouso.

CANÇÃO DE AMARÍLIS

Perder a vida por amor
pequenina Amarílis
quando nem o orvalho tocou
a fímbria dos lírios,
quando nasciam trevos
à espera de que os aquecessem
certos pezinhos tenros!

Perder a vida por amor
ao chilreio dos pássaros
que em teus ombros de paina
tinham pouso!

Perder a vida por amor
nos claros lagos da inocência
sem haver colhido uma flor
entre as sete cores do arco-íris,
sem saber que a vida é uma pouca
d'água para a sede de amor,
que a vida arranca das raízes
tão somente do amor,
que a vida não é mais que amor,
inocente Amarílis!...

HOLDERLIN

Belo teu nome em doces lábios
Holderlin.
                    Tuas palavras
nascidas entre dois crepúsculos
ainda hoje tremem de orvalhadas.

Mas por acaso transpuseste
as imaginárias fronteiras
entre a lucidez e a loucura?

Existirá limite
a demarcar os lisos campos
e os bosques a princípio tenros
depois inóspitos
na enlaçadura dos liames?
Erigiram-se grades de ferro
para que mal se encontrem
ao se estenderem as mãos
o que levita no arroubo
e o que no limiar do sonho
temeroso se inscreve?

Ai! que foste ferido:
teu descimento aos infernos
tua imersão nos rios
tua encolha nas grotas.
Em contraste a vertigem
dos ideais. Acima das nuvens
o devir. Nos homens
o divino. Em nome da pátria
a Grécia. E entre os mitos
intacto o Cristo
com seu pão e seu vinho
habitante terreno.

Aedo cego, não. Vidente.
Tu que às estrelas deste um nome
– uma alma.
Tu que no éter, teu Éter,
de novo achaste a luz e ao mundo
chamaste em vão para acolhê-la.

ROTEIRO DE PETRÔNIO BAX

Homem de muita fé
caminha Petrônio Bax
por sobre as águas.
Entre o azul e o verde
esmeralda e turquesa
carreia as ondas
nas próprias mãos.
Lança redes ao longo
do manancial espesso
e recolhe de pronto
o ouro rubro dos peixes.
De permeio a franjas
à hora em que alba amanhece
traz lembranças de outrora
algas conchas e pérolas.
Volve o olhar para os lados
em que foge o horizonte:
no escarlate-de-Holanda
junta as flores do campo.
Abre a porta dos ventos
sobe súbito ao céu
toca o azul transparente
além do azul-da-Prússia
levando a passeio
ovelhas e nuvens.
Pousa agora na terra:
terra? infinito espaço
da cidade do Carmo
no cenáculo aberto
em que o linho se espalma
sobre a sólida mesa
a ofertar vinho e pão
– pão de luz em fermento
vinho vivo de sangue.
Ao final do roteiro

marca dentre os convivas
a Cabeça do Cristo
de olhos que são cálices
lucilando orvalho.
Pedra de amor e paz
na morada do Cristo
Petrônio Bax.

SAUDAÇÃO A DRUMMOND

Eu te saúdo Irmão Maior
pelo que tens sido e serás
dentro do tempo espaço afora
e além da vida: luminar
homem simples da terra
aprisionado no íntimo
para libertador de pássaros
e agenciador de símbolos.
Pela pedra no caminho
que foi ato de bravura
e foi cabo de tormentas.
Pelo brejo das almas
em verde com margaridas.
Pelo sentimento do mundo
com que orvalhas o linho
da comunhão geral.
Pelas fazendas do ar
em que brindas cultivos
de transcendentes dimensões.
Pelos claros enigmas
que decifras e que armas
em desdobrados ciclos.
Pela vida passada a limpo
em lâminas de cristal.
Pela rosa do povo
com que humanizas o asfalto.
Pela lição de coisas
que nos ensinas a aprender.
Pelo boitempo este sabor
de renascimento da infância.
Em nome de Mário de Andrade
– até as amendoeiras falam –
em nome de Manuel Bandeira
em nome de Emílio Moura
presentes embora silentes

no alto da Casa em outros
mais cômodos aposentos
de onde nos contemplam líricos
a nós abaixo no vestíbulo.
Saúdo-te mineiro Carlos
de olhos azuis como os da criança
guardada sempre mais a fundo
em candidez e malícia
ao largo de lavouras híspidas
ao longo de setenta outubros
vincados de diamante e ferro
sem nostalgia de crepúsculo.
Saúdo-te com sete rosas
em botão as mais puras
colhidas de madrugada
antes do sol em suas pétalas
por teu sétimo aniversário
outrora
de menino poeta.

BRASÍLIA

Eu vi o sol de Brasília
à hora do nascer do sol:
bloco de topázio em prismas
alçado pelo anzol do céu
ali na faixa do horizonte
à altura de minhas mãos.
O sol que sempre vai nascer
às mesmas horas da alvorada
com a mesma ardência o mesmo adejo
a mesma graça de alvorada
quando meus olhos forem cegos.

Eu vi a lua de Brasília
flutuando no aquário escuro.
Nenhuma lua vi maior
nem mais límpida em longitude
nem mais redonda em corola.
Era um jorrar de lua a flux
em águas vidros azulejos
mármores espaço à frente
relvas gramíneas buritis.
Uma lua vinda de outrora
que se perdera e se encontra
em novo giro agora fixo
para os amores que despontam.

Vi a galáxia de Brasília
pairando sobre a flor de pedra
da catedral em ofertório.
Foi numa noite de mistério.
Os astros formavam códigos
senhas algarismos e siglas,
projetavam perfis

de Profeta Patriarca
Inventor Arquiteto
Construtor Operário Artista.

A galáxia refluía à fonte:
são os astros de humana estirpe
entressonhados noite a noite
que coroam Brasília.

QUARTETO NOSTALGITÁLIA

I / ROMA

Paredes grossas paredes
levantadas de orgulho.
Ouro velho
madeira rosa
pedra cálida.
O casario grávido
de tesouros
ainda e sempre
à espera.
E no profundo estofo
ao abrigo do tempo
a flama virgem.
O passado não conta: está presente
em dóceis curvas de voluta
em dobras de panejamento
em ecos de colunata
na radiosa nudez
de corpos sobre pedestais.
Os sussurros do Tibre
para as sete colinas
falam de guardiães invisíveis.
Áugures e vestais caminham
no antigo passo rítmico
pelas ruas. O vento
de outros séculos se ouve
as ruínas aflorando. No alto
pairam as águias da vigília.
Na água em estilhas sobre as salvas
perpassa o frêmito da origem.
Canta de bronze a voz do sangue.
Cármina rústica.
Eterno agora.

Tudo previsto e tanto impacto
nesta noite igual a si mesma:
um rapto rútilo de beijos.
Peso e transcendência de mármore
na própria carne transitória.

II / FLORENÇA

Os anjos da invisível balança
encontraram repouso.
Florença guarda nos seus imos
a força estática.
Nobreza de ponta a ponta
pedal de tônica.
Volume e espaço em andamento
de música, em tessitura
de claridade que apascenta
claridade maior.
Módulo coloquial
granito bronze opala
em que se afinam e ajustam
violoncelos ardentes
e lonjura de flautas.
Enquanto o sereno plectro
leva aos cimos o mais leve.
Assim aos poucos
o pormenor se desvanece
evaporam-se os ângulos e as curvas
aligeiram-se as argamassas
de palácios e templos
arredam-se pilastras e pórticos
anuviam-se capitéis e domos
uma fímbria de seda
vela o tom dos retábulos
das estátuas nos plintos
transparece o desenho.

Ei-lo que surge – reversível –
de um primitivo impulso
pela entressonhada beleza
(Brunelleschi)
de um contemplar primeiro
a imagem nascitura
(Ghiberti)
de uma primeva aurora
antes da forma antes do azul
(Michelangelo)
– o puro espírito criador.

III / VENEZA

O trampolim. O arco florido.
O salto a medo. O sol nas águas.
E esse embalo de gôndola
que não deixa fixar
o espetáculo em bloco.
Baila o oblíquo mosaico
em voluteio de topázios.
Ao léu das ondas franja leve
as muralhas ducais.
Nenhum apoio contra o tempo.
As resinas do álamo-negro
escorrem dos altiplanos.
Onde os carvalhos e os lariços
de milenar sustentação
                    para o peso do mármore?
Ao vento que vem do deserto
Veneza oscila o circo em cores
o corpo encanece e adolesce
de angústia e rubor em réstias
escarlate e marfim.
É cedo e é tarde para o amor.
Ao envolvimento das algas

vai soçobrar no alagadiço
de comércios e de ócios
o cofre-forte do tesouro.
Nada fica. Nada se leva.
Tudo é chegada e partida.
Tudo se esfolha à superfície
para restar em nostalgia.
Então de transparência fluida
a estremecer alabastros
sobe um canto de cisne.
Pelo fascínio de si mesma
– a sereia e seu próprio canto –
já Veneza está salva
na alegria das sete dores
nas arcarias de mãos postas
na altaneria dos frontões
nas escadarias de ouro
nas mesmas veias abertas
de doce vinho maduro.
Ah! que Veneza é cerne humano
a construir pontes e suspiros
para que as almas se reencontrem.

IV / TRIESTE

A Filha da Itália acorda
em verdes bosques. E adormece
em águas de azul espelho.
A fruta mais tenra da horta
de doçura que só em Trieste
aguarda a mão que a vai colher.

Espreita alguém em Miramare
através dos cristais da aurora
à orla de um pálido augúrio:
Sob a lua de mel e nácar

quanto tempo a nave demora
que vai do amor para a loucura?

O trigo de ouro irrompe em junho
numa revoada de conjunto
madeixas ao sol e ao vento.
Da solidão posta em vigília
sob a neve meses a fio
não há memória que se lembre.

Rios pavoneiam as caudas
entre eucaliptos esgalgos
e gordos tufos de macieira.
Entanto um pé de oleandro se inclina
a ver se surpreende o sigilo
do pequenino Rio Zero.

Junto às ilhargas da colina
pedras têm nome de batismo
escrito a sangue ainda cálido.
Cada vez que as sílabas tremem
de recolher alguma lágrima
nasce uma flor para o diadema.

CELEBRAÇÃO DOS ELEMENTOS (1977)

ÁGUA

Diamante de primeira água
água melhor do que diamante
água que brota virginal
e maternal da própria fonte.
Ao despenhar-se da pedreira
em nítidas franjas de espuma
é vestido de noiva às vésperas
da inauguração do mundo.
Tálamo de lírio e açucena
elo de amor que se recata
aos acenos da mão de Deus
palmilha devagar a várzea.
Água limpa de natureza
que toda corrupção supera
após ter lavado gangrenas
ascende à via-láctea em névoa.
Salta de regatos e esguichos
alegria jogo de pérola
nos entraves se desperdiça
água menina que se atreve.
Humilde forma provisória
não desbordaria do cântaro
porém se vai vereda afora
envolta em caudal de arrogância.
Já não reconhece fronteiras
recolhe rios no percurso
em turbulência se despeja
nos abismos de sal do oceano
sobe às nuvens desce em dilúvio.
Onde o orvalho em translucidez
a face do lago em remanso
a pureza daquele sorvo
que nos matara a sede há pouco?
Deslustrou-se a fonte com o tempo?
Da graça nada mais lhe resta?

Entretanto algures latente
a essência da água permanece:
no tecido humano se instala
à seiva das plantas preside
dá de beber aos seres vivos
acelera massas e máquinas
à transcendência se dispõe.
E amanhã será como foi
no seu destino de doação.

AR

Plumagem desgarrada em busca
de outras plumagens desgarradas
o ar voluteia na amplitude
e alarga o giro sempre mais
no alvoroço das descobertas
libertário de plena audácia.
Sem itinerário qualquer
cantarolando assobiando
fremindo rindo retinindo
ao balanço das próprias asas
em volta de espigas e vinhas,
o anunciador da boa nova
o portador do amor instável
o mesmo transgressor de normas
é carícia sobre os cabelos
logo é lufada em meio a telhas.
No concerto das madrugadas
com sustenidos e bemóis
é um som de flauta que divaga
de tom menor a tom maior.
É têmpera de redemoinho
abraço não correspondido
que envolve o talo da roseira
e que abre as pétalas da rosa
com doçura ou desfaçatez.
É dádiva que se divide
entre esplanada e calabouço
visitando cidades e ilhas
penetrando poros despertos
promovendo velhos encontros.
Abram-se portas e janelas
para o reinado do invasor.
Ar das praias   ar das campinas
das montanhas de não sei onde
talvez de outrora, sê bem-vindo!

Quero usufruir tuas delícias
até o fundo dos pulmões
para que alma e corpo se portem.
Ar azul de azul invisível
feito de espírito e matéria
tu és vitória sobre a morte.
Pois além dessa vida etérea
que existe em função do amanhã
significas ressurreição.

FOGO

Diadema de desejo que arde
no rubro coração dos homens
com envolvimento de nardo
o fogo é vida em combustão.
Solto depois de prisioneiro
em breve se impulsiona e alastra
não se contenta de si mesmo.
Vulto de bronze em vertical
toma da púrpura   desata-a
empunha a tocha e segue a trilha
que se traçou para a conquista.
Nume de estrépito e espetáculo
sustenta lábaros de guerra
colhe madeira   ateia incêndio
serras e montanhas escala
ergue-se no último degrau.
No ápice do orgulho estremece
labareda vinga o labéu
ontem ferido de emboscada.
Às vezes fogo-fátuo a furto
desaparece pelos pântanos
e numa cupidez de abutre
nutre-se das próprias entranhas.
Mas de novo se reverbera
em fricção de pedra na pedra.
Mergulha então – tição de pira –
na água que vai tornar lustral
propícia ao culto do batismo
e cerimônias augurais.
De puro agora purifica
tem rédeas e tenazes de ouro.
Junto às humanas cicatrizes
sofreia os impulsos de touro.
Recolhe-se aos lares   protege-os
abençoa o pão na fornalha.

Amor e paz. Como é singelo
ao acender nos templos vastos
não mais que a lâmpada votiva!
Acaso sentindo-se à míngua
vela de cera tremulante
da mesma cegueira se extingue.
E já pela noite se inflama
em jactos e rojões de estilo
a constelar os céus da infância.

TERRA

Terra antiquíssima tão só
no escuro túnel de milênios
que te desmembraste do sol
por uma aspiração extrema.
Ardente de erosões, fogosa
de vulcões de cinzas de lavas
movente sem base nem topo
talvez pela fome do lar
giras em torno do teu deus.
Terra suspensa dos espaços
imaginas que sejam teus
os astros em afluência prontos
para a decoração das noites.
Em gravitação te equilibras
por fatalidade ou magia.
Contudo já não és a mesma
tantas vezes desmoronaram
tuas montanhas, tantas vezes
estremeceram os teus vales
em invento e composição.
Terra humana de areia e argila
exposta à intempérie. E à premência
do homem que a carne te lacera
para defender seu quinhão.
Por certo ele aprendeu contigo
o exercício criador de formas
em modelos que se renovam
com seus êxitos e deslizes.
Maravilhou-se com a clivagem
dos teus cristais de faces múltiplas.
Ofuscou-se diante da alvura
alma e corpo dos alabastros.
Perdeu-se de si próprio em busca
de ouro ferro petróleo urânio.
Entre os lavores e a lavoura

o homem te ama de amor insano
pleno de luxúria e cobiça.
Mas ao desconserto resistes.
E nos ardores da defesa
aniquilas o aventureiro
que ainda cinzela de teus mármores
o hipogeu para o sono intérmino.
Por fim os pés que te pisaram
repousam sob tua égide.

POUSADA DO SER (1976-1980)

POUSADA DO SER

No tempo? No espaço?
Em nenhuma época – senão de enfrentar –
Em lugar nenhum – senão de expandir.
Aqui tão certo como além – no raio do instante –
Ontem hoje amanhã – calendário pleno.

Pousada do ser
Contorno fluido
sem piso nem teto
sem recurso a esquadrias
na antemanhã do espírito
adquirindo e perdendo
doando e conservando
modelando e desprezando
seus materiais:

Inquietação na serenidade
humildade no orgulho
desprendimento no apego
desesperança na fé
expectativa na dúvida.
Feixe de unidades várias
pelo interminável prélio
de preparo versus preparo.

Pousada do ser
de construção a constrição
em demanda do mesmo Ser
Pátria para degredo
de não estar
Mandato interino
em vias de assumir investidura
denegada e anunciada
pelo embalo das ondas
pelo canto delatório dos pássaros

pelo testemunho do sol
pela polpa do fruto
no dia exato da maturescência.

ROSA PLENA

Rosa plena. Em glória
de cor
          de forma
de febre
          de garbo.
Em auréola sobre si mesma
– estática.
Em arroubo diante da luz
– dinâmica.
Enrodilhada em aconchego de concha
buscando o núcleo.
Fugindo-lhe ao cerco
– asas aflantes flamejantes.

Rosa plena.
          Turíbulo. Ostensório.
Convite à valsa dos ventos.
Tributo ao círculo – perfeição
de chegar e partir.
Cada pétala é um sonho de retorno.
E as pétalas se avolumam compactas
e esmaecidas logo se despejam
ao longo e ao largo
          – no fascínio
do pretérito pelo devir.
Sangue em oblata
          no altar maior.
Amor e morte
          pela revelação.
Rosa plena.
          Poesia
que se fez Carne.

AS PALAVRAS

1

Este é um planeta de palavras
neutras movíveis e versáteis
que de rodízio pela ponte
vão ter à margem oposta

Candentes em água fria
petrificadas no fogo
tumultuam-se as palavras
umas prontas para o jogo
outras intactas à sorte

Mantêm auras de mistério
nos percursos de ida e volta
conforme o sangue que as gera
o incentivo que as abrasa
conforme a língua que as solta
ou que as segura na raça.

2

Os cardos se abriram
fecharam-se os lírios
horizontes amplos
estreitaram o âmbito
só pela palavra
que em tempo de espera
nos foi sonegada.

A casa estremece
no próprio alicerce

pelo desatino
de alguma palavra
de metal ferino
que nos fira o ouvido
sem qualquer preparo.

Os verdes ondulam
ao longo das várzeas
espelhos se aclaram
no colo das grutas
por palavra terna
que a alma nos enleva
no momento exato.

Ó cores nascidas
ó sombras criadas
ó fontes detidas
ó águas roladas
ó campos abertos
por simples palavras.

3

Segredos expostos
tingem de rubor
a palavra *rosa*

Como que em deslize
tocam-se cristais
na palavra *brisa*

Algo se insinua
de abandono e flauta
na palavra *azul*

Desgastados mantos
pesam sobre o leito
da palavra *fama*

Espinheiro agreste
rompe raiva e ruge
na palavra *guerra*

Não há luz que corte
o ermo corredor
da palavra *morte*.

OS VALORES

Imperativo estranho encontrá-los
em meio a trevas.
Peso medida altura
em patamar balança diapasão
possivelmente ponderáveis.
Que sortilégio capaz
de deslindar o teor de tais valores
uma vez que são outros?
No lado obscuro da natureza
percebem-se embustes. Na superfície
das nevadas uns passos fugidios.
Insurgem-se contra as feras
na ânsia de recorrência, aqueles valores
que se desgastaram no século
e seriam perenes por suposto.
Os enigmas interferem no plano
da nova esfinge.
Desborda o mural inflado de tons
onde o turquesa faz-se rubro.
Reinventam-se apocalipses
em termos de numerário.
E os sentidos humanos já não captam
o sentido da vida.
Cega surda e muda a criatura
não mais reconhece o mundo
– esfera compacta e opaca
sem ressonâncias interiores.
O sentido da vida está por um fio.
Frágil entre os mais frágeis:
talo de flor em pugna com os ventos
primeiro brinquedo em mãos de criança
franja de pranto adolescente.

O sentido da vida palpita – quem sabe? –
no derradeiro prolongado alento
do visionário pronto ao sacrifício
pelo que lhe resta de humano.

ASSOMBRO

Século de assombro – este século.
De violência em progresso.
E os outros séculos?
Cada ser ao sentir o peso do mundo
não terá dito: século de assombro?

O assombro seca a própria sombra
de tanto secar a existência:
Sequidão de corações e mentes
Secura de corpo nos ossos
Legião de cegos e de inaptos
Asfixia de túneis e masmorras
Mantos e esgares de hipocrisia
Sevícia para fins de anuência
Acúmulo de monstros e monturos
– Assombro à cunha.

Porém acima de qualquer assombro
aquele assombro vindo de antanho
para atravessar o século
de ponta a ponta – flecha escusa – e ser
perene assombro dos mortais
– a morte.

DO SANGUE

Circula e preserva-se
ao longo das veias
nas maçãs do rosto
no coração em jorro
de centelhas.

O sangue é cousa sacrossanta.

Passeia rútila a febre
em plaquetas e células
Sangram a flux
as videiras em peso
as vertentes da agrura
as sarjetas do crime.

Todavia o sangue
guarda a própria essência
em cofre-forte.

Lateja o látex em rios
suculentos de seiva
do leite verde
da promessa
ao rubro leite
da barbárie.

Porém o sangue não se esgota
em sangrias inglórias.

O sangue se perpetua
de seus mesmos ímpetos
e refluxos:
constelação de rubis
em série
a comando de um sol recôndito.

Agreste espinho
certa palavra fere
o coração impregnado
de amor:
Não estremece uma gota
do cerne aos filtros
Cada átomo engloba
todo o mistério sacrifical
do sangue
à hora da sagração
do cálice.

MEMORANDO

Então me concentrei dizendo:
Guarda-a na memória essa paisagem
que não se repetirá na face da terra
com as mesmas indefinidas cores.
E esse vulto que teus olhos não verão de novo
passar com idênticos movimentos rítmicos.
E essa voz que te saudou do outro lado do oceano
assim com um fugidio marulho de ondas.

A paisagem desapareceu entre as cinzas do informe.
O vulto não regressou em sucedimento a si próprio.
A voz perdeu o timbre no exaurir da mensagem.
Mas por milagre se conservam tangíveis
dentro de um vago mundo sem dimensões
a paisagem o vulto a voz
que de longe em longe reencontro.

Aquela paisagem ninguém a viu como eu.
Aquele vulto não foi captado senão por mim.
Aquela voz me tocou e não a outrem.

Frágil tesouro da memória
– antes que a noite me desarme –
por algum tempo ainda resguardado.

METAMORFOSE

Do transitório ao permanente
terá sido um simples arroubo
uma surpresa de momento

Onda sem rumo vem à praia
traz um balouço que se afrouxa
leva um suspiro que se esvai

Sem mais palavra que o desvende
no seu reduto de proscrito
o pensamento está suspenso

O vislumbre mal entrevisto
que a memória já não sustenta
vaga entre nébulas de ocaso

E a noite baixa para sempre
junto ao silêncio milenar
para tudo quanto se move

na perene metamorfose

do fértil para o esgotamento
do voo livre à dura lousa
do transitório ao permanente.

LAMÚRIA

A indesejável. Ninguém a quer nem de longe
– enfadonha presença.
A inútil. Ninguém a escuta nem de perto
– insípida lengalenga
de ontem   de anteontem.
A que se instala no óleo
de languescente frouxidão.
A que sestrosa se acomoda
em atitude de horizonte.
A que se apoquenta na teima
– lamúria outra vez e sempre
apoquentando a vizinhança.
A que não tece nem destece – lanceta
entre o passado e o futuro no impasse
de mastigar lana-caprina.
A de cordas pendentes ao pescoço
– deixa para depois
sem ânimo de enforcar-se.
A que se esgota a si mesma
– ó lamúria dos fados
na derradeira etapa.
A que no fim engole em seco
– lamúria em franca desobriga
diante de tantos crânios tapados.

AS IDEIAS E AS COUSAS

Antes do esboço da alvorada
as ideias como que prenunciam
as cousas. Porém as cousas
já se arvoravam no invisível
mesmo às cegas.

As ideias e as cousas
– alma e corpo à deriva –
um dia confraternizam
e se abraçam no fogo.

A labareda azul e rubra
estremece de ser
azul e rubra a um tempo.
Sem o lenho que a atiça
vivifica alimenta
e finalmente exaure
– quando também se exaure –
a labareda – informe –
nem sequer existira.

Ou existira porventura
– de espontânea –
no ponto em circular contínuo
que se esquiva à memória.

EM SOBRESSALTO

As notícias me sobressaltam. Dia a dia
cada vez mais terríveis.
Brotam da terra pelos poros
entram pela janela em silvos ásperos
fazem pilha no chão em letras tortas
caem das nuvens em mortalhas.
E já são outras realidades apostas
ao retoque dos memorandos
às interpretações da ribalta
ao sortilégio da casa dos contos
ao ruminar dos bois – fuga e refúgio.
Em confronto são dúbias
precipitam-se acotovelam-se
em contramarcha se repelem.
Na deturpação do humano
anunciam com alvoroço
através de pinças de fogo
em cartazes de gelo
– o suicídio da multidão em nome de Deus
– o império do vício em nome da Arte
– o sequestro do juiz em prol da Justiça
– o arremesso de touros em via pública
para a alegria dos que se salvam.

Recuso-me a acreditar nas notícias
mas elas se impõem de cátedra
com implacável desfaçatez
talvez para convencer-nos
de que somos todos culpados.
Agem assim como tóxicos
impunemente sorvidos
nas delongas do tédio.

A busca de notícias é um mórbido
caminhar para a cruz.
Sem embargo as procuro com empenho
na expectativa tantas vezes vã
de que à noite se mudem
na reparação no contraveneno
das notícias colhidas pela manhã.

DEPENDÊNCIA

Sempre estarás na dependência
de circunstâncias climáticas
de paisagens fortuitas
da variação dos ritmos
da altura dos decibéis
da intensidade da luz
da conceituação alheia
de pessoas   serviços   objetos.
Crisparam-te os nervos há pouco
as apelações da sirena
para que socorresses alguém
sem porquê nem onde.
Em seguida um raio de lua
vindo de outras paragens
em nome de desconhecidos numes
provocou-te uma lágrima.
Por instantes a orquestra
aberta em labaredas de ouro
ergueu-te ao nível do maravilhoso
em que a palavra se completa.
O lendário da infância
volta de vez em quando à tona
embora não o solicites.
Dos livros que tens amado
ficaram-te marcas no espírito
pronto a rever itinerários.
O cálice de vinho que bebeste
circula e ondula no teu sangue
sobe-te às faces em rubor.

Assim te encontras à mercê
dos influxos exteriores.

E os teus pruridos de independência?...

ROMPIMENTO

Não se rompe com os mortos
de uma vez. É preciso
que a fina areia do ápice
tome toda a ampulheta.
E que o batel se perca
longo tempo nos mares.
E o mar inunde a terra
gota a gota a infiltrar-se.

Da textura estendida
do núcleo à barra do horizonte
o destecer demora.
Mas sub-repticiamente
a trama cede fio a fio
(entanto novos caules crescem)
até que o elo derradeiro
se esgarça em tênue rompimento.

Só então assoma a pergunta
à superfície do poço:
Teria sido amado, o morto?

DO SUPÉRFLUO

Também as cousas participam
de nossa vida. Um livro. Uma rosa.
Um trecho musical que nos devolve
a horas inaugurais. O crepúsculo
acaso visto num país
que não sendo da terra
evoca apenas a lembrança
de outra lembrança mais longínqua.
O esboço tão somente de um gesto
de ferina intenção. A graça
de um retalho de lua
a pervagar num reposteiro.
A mesa sobre a qual me debruço
cada dia mais temerosa
de meus próprios dizeres.
Tais cousas de íntimo domínio
talvez sejam supérfluas.
No entanto
que tenho a ver contigo
se não leste o livro que li
não viste a rosa que plantei
nem contemplaste o pôr do sol
à hora em que o amor se foi?
Que tens a ver comigo
se dentro em ti não prevalecem
as cousas – todavia supérfluas –
do meu intransferível patrimônio?

PERCURSO

É chegar e partir
a jacto.
É suspirar e desistir
a voo de pássaro.

Ainda ontem chegavas
entre nuvens de sonho
ao centro da plataforma.
Para o que és e não foste.
Agora partes
à míngua de força
para além dos arredores.

No breve percurso diário
dilacera-se o indócil
ser humano
pelo fato de estar
ombro a ombro
com o próximo.

OS ENTRAVES

Tantos entraves traz a vida
a cada passo um novo aviso
tranca a porta   prepara a escora
daqui não sais   assim não andas
aos abelhudos não se pode
mostrar sequer os próprios sonhos.
E a porta se fecha por dentro
de fora ninguém se permite.
Alguém na rua chega à esquina
de súbito esbarra no beco
no morro na aura imprevisível:
Há um rio que desborda à larga
depois da chuva interminável
Há um queimor que provém da seca
fumegando à flor da calçada
Há um assalto na joalheria
com tiroteio dos brilhantes
para matar a quem se mata.
O transeunte já se esquece
do número que procurava
o único recurso é o regresso.
Regressar para onde e quando?
Neste instante fechou o trânsito
e as máquinas não mais funcionam
senão através das buzinas.
Então a cidade enlouquece
a pesquisar de déu em déu
qual a razão entre as razões
de tanta estatística à vista
de tantos neurônios no cérebro
de tantos cálculos no fígado
de tamanhos pés pelas mãos.

EXPLOSÃO

Cólera
        em cólera

Fulvo espetáculo de arestas
e chispas

Girassol em fulgor de lacre
no ápice do acesso

Balões acesos de ira
em nome das fúrias
outrora mantidas
no cárcere

Resmas de papel em tiros
estridentes
            a esmo

Fisgada seca de relâmpagos
em cruz

Escorpião de bronze
em contorções
a morder a cauda

Estralada de fogo
a fugir de seus feudos
pelo agreste

Nervos em ponta
de arame farpado
fustigando cavalos

Cólera
            em magnificência
de cólera

PORFIA

Pela restauração do bloco – abrupto
nas orlas do penhasco –
desde o alicerce à cúpula
cada ladrilho certo no mosaico
até que em peso se unifique
o mundo

Pelo reatamento dos laços
– rompidos entre espinhos e espólios
com violações de parte a parte
em pilhagens e terremotos –
até que se reúnam de vez
a humanidade e a natureza

Pela procura das espécies
– ora atoladas em taludes
ao vezo dos iconoclastas –
até que transpareça puro
em essência e reflexos
o cristal da palavra

Pelo reencontro do sangue
– desencadeado e já sem fibras
em corpos que se dilaceram
nos desvios da insânia –
até que afinal se entendam
de coração adentro
os homens

Pela volta da lágrima
ao recesso das pálpebras.

O DIA AZUL

O dia azul antecipou-se
ao lento despertar dos bosques.
Tudo azul! diziam em coro
os de pálpebras abertas.
Porém os olhos em refolhos
só descobriam sobre a relva
a minudência dos miosótis.

O dia azul veio em atraso
na esperança de contemplado.
É tempo ainda azul sem nuvens!
anunciavam vozes de alerta.
Porém os olhos em refolhos
já se esqueciam junto à relva
na intimidade dos miosótis.

BEIJA-FLOR

Pequenino feixe de nervos
lépido sutil e grácil
em torno da corola esvoaça
Beija-flor todo equilíbrio
no seu trapézio invisível.

A abrir o leque de plumas
com estrias de safira
Beija-flor arrisca o jogo
no assédio à flor. Mas recua
rápida flecha sem pouso
a um balouço de arbusto.

Dramazinho melífluo:
coração em conflito
de premência e cautela
Beija-flor investe a custo
e sem perder o galeio
gira oscila dança paira
não desiste mal se atreve
em galanteios e escusas
antes de colher o inseto
que entre pétalas se oculta.

APARÊNCIA

Entre os enleios do mundo
não descuide a aparência
à hora em que o lusco-fusco
desse mundo se adensa.

O musgo verde sobre a ruína.
Algum açúcar sobre o amargo.
A fina teia que elimina
as arestas do agravo.

Basta o verniz a bem do estilo.
Um penhor de brilho nos olhos
logra ofuscar pelo visto
a substância mais sólida.

Ser de fato não interessa
(pelo que parece). A aparência
afeita ao sonegar sonega
e dorme o sono da inocência.

RÓTULO

À feição de rótulo
a vida
por fragmentos se explica
(não deveras)

Infância acaso ou senectude:
nesga de tempo
colocada em moldura
Alfabeto: verde veneno
bebido a goles no escuro
Nome de batismo: algema
que se arrasta nas ruas

Prega-se o rótulo da vida
na janela e na campa
até mesmo na campa!
Grudado a goma a cuspo
óleo betume ou lacre

Qual o acerto do rótulo
se o conteúdo é provisório
a cada sucedâneo?
Se o informe sem perspectiva
de tão branco
o olvido de cousa alguma
tão profundo
o inimaginável abstrato
não têm laivo de rótulo?

Na arrogância da sigla
em rubro
se instala o rótulo por si mesmo
para que o passante o saúde.

VISIBILIDADE

Não me engana o visível.
Mas eu me engano com o que vejo.
Grave fantasma à vista
era uma nuvem sorrateira.

O visível acarreta disfarce.
Repto de distância e de agouro
nunca se mostra tal e qual.
Aparecerá diferente
em estágio vindouro
quando de fato se desvende.

Recrio o visível
a meu desejo
com particulares matizes.
Invento o visível
de acordo com meus próprios olhos
para que através de cotejo
a novos prismas
outros olhos o vejam.

DENÚNCIA

Os tresloucados do volante
– ó vendaval –
voam velozes e ferozes
à caça de carne humana.
Olhos de abutre
fisgam de rua em rua
alguma oferta de acaso.
Rindo brancura de dentes
mil poderes aceleram
rumo à vítima entrevista.
O mundo que lhes pertence
tomam ao revés – de assalto.
Sangram
          despedaçam
                    matam.
E ombros erguidos prosseguem
vitoriosos pressurosos
para os aplausos da seita.

AS NÓDOAS

Aparecem as nódoas
na medida em que o sol
as circunscreve.
Existiriam por si próprias
sem a denúncia do esboço
a persecução da figura
o conhecimento do núcleo?
De fato não são notadas
senão expostas à malícia do sol
– rebuscador e aliciador de imagens.
Porém as granulações luminosas
em que já se desfazem
as manchas solares
são prenúncios de glória
para a opacidade dos corpos.
O sol fareja as nódoas
acaricia-as alimenta-se delas
talvez em função de indústria.
Ainda assim de revés
as nódoas flutuam flexíveis
em regime de auréolas.

A MENINA TONTA

Eu quero o arco-íris eu quero
diz a menina com fé.

(Seus olhos são duas lágrimas
boiando em folha de malva)

– O arco-íris ninguém consegue
tocar com a ponta dos dedos.

– É razão do meu suspiro
tê-lo puro intacto virgem.

– Terás um vestido novo
listrado de sete cores
cada cor uma alegria.

– O vestido não tem asas
para passeios alados.
Quero das fitas do arco-íris
fazer os meus próprios trilhos
e sair andando ao léu
pelas varandas do céu
para conhecer países
que no mapa não existem
habitar outros planetas
mais habitáveis que este.

– Menina não sejas tonta
o arco-íris é apenas sonho
matéria de sonho é zero.

– Eu sonho por não poder
ter aquilo que mais quero:
quero aquilo que não tenho

ainda que não valha nada
por não poder alcançá-lo.
Se o pudesse não quisera
nem sonhara.

(Os olhos brilham que brilham
aos revérberos do arco-íris)

CANÇÃO DE ROSEMARY

Enquanto raiava o dia
entre rubis e arrebóis
silenciosamente a sós
a estrela se recolhia

Enquanto o jardim se abria
em caules de ardente seiva
a um recanto junto à relva
uma rosa fenecia

Da fonte azul todavia
de amargura inconsolada
uma copiosa orvalhada
toda a terra umedecia
para preparar a via
de uma nova madrugada
em que a alma renasceria.

VERDE

É verde a vida que se escoa
dos alvéolos da primavera
É verde o fruto que não doa
verdor a quem desespera

Estala o verde do vergel
em longos talos dobradiços
para mesclar-se no aranzel
que vai do avesso à superfície

A lua verde com o susto
o logro   o oposto   a falência
o rosto verde à luz da lua
da demência.

DA VIOLÊNCIA

Vem de mundos longínquos.
De eras remotas. Na avidez
de inaugurar espólios.
Vem das grotas mais fundas
para atingir os cimos
da fama.
Vem de todos os lados
a desvendar novos quadrantes
de angústia.

Não se estabelece em normas
de violação e de voragem.
Não se instala de público
senão por detrás das trevas.
Esta violência a furto
de trampolim em trampolim
no apogeu do fortuito.

É um tempo cego de relâmpagos
assassinos.
Vórtice de aniquilamento
dos próprios seres em ação
vinculados por certo
a inominável espécie
– não à gênese do homem.

UM ROSTO DE CRIANÇA

Como se regressasse de outras eras
nas águas da memória flutua
um rosto de criança. É o mesmo
rosto, são os mesmos olhos,
a mesma boca a delinear
o primeiro sorriso
em pureza de espelho.

Teria sido esculpido, fotografado,
inscrito no cartel do tempo
ao sabor das lembranças?

O rosto é uma rósea pétala
os olhos brilham de neblina
os lábios tentam mover-se.
Aureolado e esbatido
entre esfuminhos e halos
resvala o rosto ao fluir da evocação
aparecendo e desaparecendo.

E vinte anos depois
se repete o prodígio:
o mesmo rosto de criança
às primícias do orvalho
reclinado no berço
a ressurgir de vida sucessiva.
Na epiderme de pêssego
na carícia das linhas em oval
na candidez da estreia.

Sem saber a que vem, o rosto vem
a um mundo estranho de similitude
para mais tarde revelar por força

outro idêntico rosto
com olhos de retrato em série
e com boca sedenta – tal e qual –
de uma sede longeva.

MODELAGEM / MULHER

Assim foi modelado o objeto:
para subserviência.
Tem olhos de ver e apenas
entrevê. Não vai longe
seu pensamento cortado
ao meio pela ferrugem
das tesouras. É um mito
sem asas, condicionado
às fainas da lareira.
Seria um cântaro de barro afeito
a movimentos incipientes
sob tutela.
Ergue a cabeça por instantes
e logo esmorece por força
de séculos pendentes.
Ao remover entulhos
leva espinhos na carne.
Será talvez escasso um milênio
para que de justiça
tenha vida integral.
Pois o modelo deve ser
indefectível segundo
as leis da própria modelagem.

NOTÍCIA MINEIRA

Para Lúcia Machado de Almeida

No rio a draga flutua
presa à terra pelos ares
(Nosso corpo oscila a influxos
de sombra e de claridade)

Fios de aço em movimento
congregam líquido e solo
(Da levitação ao sólido
os sentidos ficam tensos)

Vai da balsa para a beira
nas peneiras vibratórias
o volume do minério
misto de pureza e escória

(Alcatruzes de alta espécie
trazem de águas mais profundas
convergência de mistérios
para que não haja dúvida)

O moinho mói os satélites
e deixa o diamante intacto
De um por mil eis a reserva
subtraída do cascalho

(Da provação à vitória
colhe pouco o ser humano
Mas o pouco é mais precioso
que a fartura do restante)

Desmonta-se a vida em parte
e a alma de luz transparece:
"o moinho mói os satélites
e deixa o diamante intacto"

ÍNDICES

ÍNDICE DE POEMAS
(POR OBRA EM ORDEM DE ENTRADA)

FLOR DA MORTE
(1945-1949)

MADRINHA LUA
(1941-1946)

ÍNDICE DE POEMAS
(EM ORDEM ALFABÉTICA)

ÍNDICE DE PRIMEIROS VERSOS

Esta edição foi impressa nas
oficinas da Ipsis em São Paulo
na primavera de 2020.